文學叢刊

陳福成 著

夢幻泡影

——金剛人生現代詩經

文史哲出版社印行

國家圖書館出版品預行編目資料

夢幻泡影：金剛人生現代詩經 / 陳福成著.
-- 初版 -- 臺北市：文史哲，民 109.10
頁； 公分--（文學叢刊；429）
ISBN 978-986-314-531-8（平裝）

1.佛教修持 2.修身

225.87 109016313

文學叢刊 429

夢幻泡影：金剛人生現代詩經

著者：陳福成
出版者：文史哲出版社
http:// www.lapen.com.tw
e-mail：lapen@ms74.hinet.net
登記證字號：行政院新聞局版臺業字五三三七號
發行人：彭正雄
發行所：文史哲出版社
印刷者：文史哲出版社
臺北市羅斯福路一段七十二巷四號
郵政劃撥帳號：一六一八〇一七五
電話886-2-23511028・傳真886-2-23965656

定價新臺幣五八〇元

二〇二〇年（民一〇九）十月初版

ISBN 978-986-314-531-8 10429

夢幻泡影——金剛人生現代詩經　目次

第二篇　如夢幻泡影……一〇七

第三篇　如露亦如電……二三三

第四篇　應作如是觀

序：七十人生的一些感想暨關於本書

一切有為法，如夢幻泡影，
如露亦如電，應作如是觀。

人間道已然走了快七十春秋，當然有無數的想法或體驗（都已寫在已出版的一百四十餘本書中，見本書末作者著作目錄）。

但，終極的總結，回歸到這輩子對整個生命的認識，人生所有成就和失敗檢討，對國家、社會、人際、宇宙現象的體察。我可確定，《金剛經》這四句偈便可化約包納。因此，我借取用為我人生的總結詩偈，也樂於為所有親朋好友、識與不識的眾生，以本書為媒介，廣為宣說，期許能與有緣或無緣之人，產生正面共鳴，進而有益於世道人心！

筆者佛緣淺薄，《金剛經》的微妙大法，自然不是我這凡夫草民所能徹底理解。是故，本書對《金剛經》的引述，採星雲大師著《成就的祕訣：金剛經》（台北：有鹿文化事業有限公司，二〇一一年二月二十一日）。大師透過《金剛經》，揭示人生成就實踐的法門。

大師在該書的序提到，《金剛經》藉由佛陀與座下「解空第一」的弟子須菩提之間的問答，闡述了「一切法無我」、「一切法皆空」的「般若空性」；一旦證悟了「空」、通透了「般若」，我們在人間，出世入世都能受用、皆得成就。

筆者初中畢業（十五歲），即入讀陸軍官校預備班十三期，再升讀陸官正四十四期。吾等所受的教育是「反攻大陸、解救同胞」，我們的人生理想是「中國之統一與富強」，而立身處事是「做一個堂堂正正的中國人」。我和許多「黃埔人」，都這樣立志，並追尋、實踐之。

奈何！「苦幹實幹」一輩子，苦苦追尋的一生「實踐」，竟全部「白做工」。這還不打緊，復興基地竟成了台獨偽政權，政治只剩權力鬥爭和搞錢，社會只剩對立和仇視，年輕一代全被毒化變質，中華文化丟光了……凡此種種，如何能釋懷！如何能「空」得了！

大約十年前，我台大的好友吳元俊（俊歌、前台大主任教官），引導筆者和另一吳信義兄長（也是台大主任教官退），三人一起親近佛光山，並皈依星雲大師座下。接觸佛法，多次聽師父們講經，改變了我對人生的許多看法，對前面說的那些濁惡現象，也較能釋懷！如是之轉念，初起於俊歌，感恩！銘記於心。

如師父在《金剛經》闡述說，「一切法無我」、「一切法皆空」。還有什麼不能釋懷？還有什麼不放下？回歸我最早的想法，「中國歷史有其一定的走向」，就讓歷史自己走吧。

台北公館蟾蜍山　萬盛草堂主人
陳福成誌於佛曆二五六三年
（西元二〇二〇年八月吉日）

第一篇 一切有為法

2010/09/28

與佛同行

我一腳跨到
佛陀的時代
與佛同行
如是我聞
當時
佛在舍衛國祇樹給
孤獨園中
講經說法

佛陀吃飯

佛在園中講經說法
有大比丘
一千二百五十位隨侍左右
到了吃飯時
佛著衣持鉢
入舍衛大城
乞食
為什麼？
世尊也要親自乞食

原來如此

我第一次發現
原來佛陀也要吃飯
佛是個活生生的人
不是神仙
佛陀吃過飯後
將衣、鉢收拾好
洗足已
敷座而坐

須菩提白佛言（一）

這時長老須菩提
從大眾中站起來
袒露右肩
我見如日月之光明
以右膝跪地、雙手合掌
虔誠恭敬白佛言
這舉動
也讓我起恭敬心

須菩提白佛言（二）

須菩提恭敬向佛問道：
世間稀有的佛陀
佛陀善於愛護顧念諸菩薩
善於教導囑咐諸菩薩
佛陀
如果有善男子、善女子
發菩提心
這初心如何堅持下去？

須菩提白佛言（三）

發心容易
堅持恆心很難
善男子、善女子
已發無上正等正覺菩提心
如何才能安住在
菩提心裡？
如何才能
降伏妄心？

我聞佛言

佛說
善哉！善哉！
須菩提，如汝所說
如來善護念諸菩薩
善咐囑諸菩薩
汝今諦聽
當為汝說
如是降伏其心

如是降伏妄心

所有一切眾生
若卵生、若胎生
若濕生、若化生
若有色、若無色
若有想、若無想
若非有想非無想
我皆令入
無餘涅盤而滅度之

不生不死之境

佛所言
我似懂非懂
反正使眾生都入涅盤
了斷一切苦報、煩惱
度過生死苦海
到達一個
不生不死之境

菩薩無四相分別

度了這麼多眾生
而佛說，其實
沒有一個眾生為我所度
這怎麼說呢？
若菩薩妄執
有我相、人相
眾生相、壽者相的分別
就不能叫菩薩

凡夫的存疑（一）

聞佛所言
我滿肚子存疑
眾生都要度嗎？
現在我所見
那妖女蔡英文
男魔李登輝
等漢奸集團
如何度？

凡夫的存疑（二）

還有
佛陀的祖國
因罪業深重
佛親自挽救三次
最後仍任其滅亡
今台灣沈淪
更重於佛的祖國
還要救要度嗎？

菩薩住哪裡（一）

菩薩了知一切諸法本空
為因緣聚滅會合
世間一切
都應無所執著
無住生心
修行布施
不住色聲香味觸法
六根清淨利益眾生

菩薩住哪裡（二）

如是我聞
佛告須菩提
菩薩應如是修行
無相布施
沒有布施的我
沒有布施的人
沒有布施的物
是謂三輪體空

菩薩住哪裡（三）

三輪體空
無相布施
福德不可思量
不可思量
如虛空
菩薩依此教法修行
無所住行於布施
才能安住菩提心

怎樣可以見如來（一）

大家都想見到如來佛
可以身相見如來不？
不也
不可以身相見佛陀
為什麼？
身相乃因緣假合
虛妄不實
並非真實永存之身

怎樣可以見如來（二）

佛陀的真實法身
等如虛空
無所不在
法身無相
凡夫肉眼不能親見
只有明白五蘊假合的幻相
才能親見
佛陀不生不滅之法身

怎樣可以見如來（三）

佛陀告訴須菩提
不僅佛身虛幻
凡世間所有諸相
都是生滅變遷的幻相假合
虛妄不實
若能悟得世間虛妄的本質
就能見到如來法身

怎樣可以見如來（四）

故，佛説
凡所有相，皆是虛妄
若見諸相非相
即見如來

這是何種境界
得修百年或千年
凡夫的我
不知從何修起！

後世衆生怎樣信佛（一）

須菩提白佛言
後世眾生
聽聞今日佛說法義
能否生起實在的信心？
佛告須菩提
我滅度後第五個五百年
若有持守戒律
廣修福德之人

後世眾生怎樣信佛（二）

有持戒修福之人
能從佛說章句
體悟無住的實相
般若妙義
而生出真實信心
應知這些人
必有奇妙的因緣

後世眾生怎樣信佛（三）

能生真實信心之因緣
他們不止曾經於
一佛、二佛、三、四、五佛
處，種植善根
而是他們於多生劫來
奉事諸佛
種植諸善根
才有此等奇妙因緣

後世衆生怎樣信佛（四）

現在聽聞大乘無住真理
乃至一念間
生起清淨信心的人
如來無所不知
無所不見
這些善根衆生
必會得到無限福德

後世眾生怎樣信佛（五）

這是什麼道理呢？
因為他們不再妄執
有我、人、眾生、壽者
四相的對待分別
不執著有為法
亦不執著無為的空寂法相
也沒有「不是諸法」的執相
不住一切、一切不住

後世衆生怎樣信佛（六）

如果眾生一念心
執著於相
就會落於
四相的對待分別
若眾生執著種種法相
於四相有所取著
若又執著「無法相」
也會落入對待分別心

後世眾生怎樣信佛（七）

執取「法」
則會停滯於「有」
以為有一個
實有的生滅法可離
執取「非法」
則會拘泥於「空」
以為有一個
空寂的非法相可證得
就不能與空理相契

後世衆生怎樣信佛（八）

是故
不能執著於「法」相
也不執著於斷滅的「非法」相
佛法如渡人的舟筏
到彼岸便捨船登岸
不要揹負著船
「法」不能執著
「非法」更應捨去

如來說了什麼法（一）

如來已證得
無上正等正覺嗎？
如來有所說法嗎？
佛陀度眾四十九年
難到沒說什麼法嗎？
那為何叫佛法？
佛緣甚淺的我
滿肚子疑惑

如來說了什麼法（二）

須菩提白佛言
佛陀說法的義理
沒有一定的法
可稱做無上正等正覺
也沒有固定的法
是如來所說
為何？
佛說法乃假設的方法

如來說了什麼法（三）

如來所說法
都是為眾生
修行開悟的方便而設
不可以執取
般若實相
無法用語言詮釋
不執著於有個菩提可得
也不執著於沒有菩提正覺
有和沒有都錯

如來說了什麼法（四）

有和沒有都是錯誤
這可難了
如來所說法
沒有一定的法名為菩提
一切賢聖都依
寂滅的無為法而修
因證悟深淺不同
才有階位的差別

福德（一）

一個地球世界很多財寶
三千大世界
寶物不可計量
全部拿來布施結緣
獲得的福德果報
多不多呢？
無限多吧！
這是世間有相的福德
所以佛陀說福德多

福德（二）

若從性上說
無「福德」之名
哪有多或少可說！
佛陀隨順世俗
說三千大世界七寶布施
所獲福德很多
這也難怪達摩說
梁武帝全無功德

福德（三）

若有人奉持《金剛經》
即使只受持四句偈
又能為他人解説
他所得福德
勝於七寶布施的人
什麼緣故呢？
因諸佛由此經出生
此般若法為諸佛之母

說佛法，即非佛法

所謂佛法
乃依俗而立之假名
並非真實的佛法
眾生有凡聖迷悟的分別
佛陀為廣度眾生
不得不方便言說
說佛法
就是不要執著於佛法

須陀洹

須陀洹的意思
是「入聖流」
須陀洹會生起
我已證得須陀洹果心念嗎？
不會，實是無所入
不執著六塵境相
心無取捨妄念
才叫「須陀洹」

斯陀含

斯陀含的意思
是「一往來」
斯陀含會生起
我已證得斯陀含果心念嗎？
不會，實無往來之相
才叫「斯陀含」

阿那含（一）

阿那含的意思
是「不來」
阿那含會生起
我已證得阿那含果心念嗎？
不會，心中
無往來分別
才叫「阿那含」

阿那含（二）

三果阿那含
已斷除欲界思惑
永久居住在
色界四禪天
享受天上福樂
不再來人間
才叫「不來」

阿羅漢（一）

阿羅漢的意思
是徹悟我、法二空
不隨妄境動念
阿羅漢會生起
我已證得阿羅漢果心念嗎？
不會，並無一法叫阿羅漢
阿羅漢只是
方便立的假名

阿羅漢（二）

若阿羅漢生起
我得阿羅漢念頭
就有我、人、眾生、壽者
等法相的對待分別
就不可叫阿羅漢
人可稱美阿羅漢
阿羅漢不能
自以為是

2016.10.03

須菩提是離欲阿羅漢

佛稱須菩提
已證得無諍三昧
人中第一
羅漢中第一離欲阿羅漢
但須菩提沒有
我得阿羅漢的念頭
不存有修行心相
才是歡喜修阿蘭那行

無所得（一）

請問佛陀
以前在然燈佛時
有沒有得到什麼成佛妙法
佛言，沒有
因為諸法實相
本來清淨具足
並無什麼成佛妙法

無所得（二）

若有所得的心
無法和真如實相契合
佛問須菩提
菩薩有沒有莊嚴佛土？
須菩提答沒有
為什麼？
菩薩也無所得嗎？

無所得（三）

菩薩莊嚴佛土
只是度化眾生的權宜方便
若存莊嚴佛土心念
便是著相執法
就不是清淨心
著相的莊嚴佛土
落入世間的有漏福德
非真正莊嚴佛土

無所得（四）

「莊嚴」二字
乃為度化眾生
權立一個名相而已
菩薩應如是生清淨心
不著於種種相
不執一切塵境
心不執著
就是菩提清淨自性

大和小

譬如有個人
身體像泰山那樣高大
是不是很大了？
確是極大
但有形色身並非法身
法身不可丈量
亦非世相大小能涵蓋
無相法身無大小分別心

尊重正教（一）

不論什麼人
於何時何地能隨緣
解説《金剛經》
甚至只講四句偈
這個講經的地方
就是一個聖地
大家都要
恭敬護持

尊重正教（二）

對於講經的「聖地」
世間所有
天、人、阿修羅等
都應該來護持供養
如同供養佛的塔廟
更何況現在有人
盡其所能
對這部經讀誦奉行

尊重正教（三）

這樣的人
已成就最上第一稀有
妙法
經典所在
就是佛的住處
恭敬供養佛弟子
有佛的地方
必有聖賢弟子大眾
隨侍左右

如法受持（一）

當時
須菩提請示佛陀説
這部經當如何稱呼？
如何信受奉持？
佛陀告訴須菩提
這部經名就叫
《金剛般若波羅蜜》
以此名信受奉持

如法受持（二）

佛說般若波羅蜜
乃為眾生迷途知返
離苦得樂
所立之假名
隨應眾生機緣說法
其實並不是
有一個般若可取著
法本無說、心亦無名

如法受持（三二）

如來有所說法嗎？
如來無所說法
三千大世界所有微塵
都是因緣聚合的假相
所以如來說這些微塵
不是真實體的微塵
只假名叫微塵

如法受持（四）

三千大世界之一切
緣成則聚
緣盡則滅
均空無自性
分秒都在變化
只是以假名為世界
你以為從三十二相上
能見如來嗎？

如法受持（五）

不可以從三十二相上
見如來
為何？
這三十二相
是為度化眾生
而顯現的因緣假相
假名為
三十二相而已

如法受持（六）

若有善男子、善女子
用恒河沙數身命來布施
不如有人只從
這部經典信受奉持
甚至只是經中四句偈
為人宣說
使他明白自性
他所得福德就很多了

遠離一切相（一）

須菩提聽聞此經妙義
深深了悟旨趣
感激涕零地
向佛陀頂禮讚歎
請示佛陀
如果有人聽聞這經法
這人已成就
第一稀有之功德

遠離一切相（二）

實相
即是非一切相
如來說以非一切相之本相
不執求
不住著
即名為實相
須菩提信解受持不難
但到末法時代呢？

遠離一切相（三）

末法時代
若有眾生聽聞此經妙義
而能信心清淨
信受奉持
此人是世上第一稀有人
為何？
這人已頓悟空理
無分別心

遠離一切相（四）

無分別心
沒有我、人、眾生、壽者
等四相分別
四相都是虛妄的幻相
遠離一切相
便與佛無異
而可以說
你就是佛了

離相寂滅（一）

遠離一切虛妄之相
便是佛
佛告須菩提
正是如此
若人聽聞此經
對般若空理
不驚疑、不恐怖、不畏懼
當知此人稀有難得

離相寂滅（二）

為什麼？
因為他了悟如來所說
第一波羅蜜
即不是第一波羅蜜
六波羅蜜
性皆平等
並無所謂第一波羅蜜

離相寂滅（三）

所謂第一波羅蜜
只是方便的假名
如來說，不要
執著於忍辱波羅蜜
般若本性寂然不動
哪有忍不忍的分別
都是為度化眾生
權立的假名

離相寂滅（四）

佛陀回憶過去修行
忍辱波羅蜜的五百世中
有一世被歌利王
支解身體
因內心無
我、人、眾生、壽者
四相執著
便能不生瞋恨心

生無所住心（一）

菩薩應離一切相
發無上正等正覺菩提心
不住色塵上生心
也不住於聲香味觸法
生心
應無所住生清淨心
若心有所住
便會隨境而迷

生無所住心（二）

我聞佛說
菩薩不應有任何事相執著
而行布施
菩薩發心為利益眾生
應無相布施
如來說，一切色相
無非是邪計謬見
業果虛妄之假相

生無所住心（三）

一切相即非真相
都是因緣聚合幻現而成
非有非空
故不應執著
一切眾生乃地水風火
四大因緣聚合而成
不執有、不執空
應無所執著

生無所住心（四）

如來所說法
不妄、不虛
如來所證悟法
既非實有又非虛無
菩薩應生無所住心
不住法而行布施
像日光照耀
洞見一切萬物

持經功德（一）

若有善男子、善女子
每日三次
都行恒河沙數的身布施
經百千萬億劫
永不間斷
這個人所得福德
真是難以計量

持經功德（二）

但若另有人
聽聞《金剛經》經義
誠信不疑
悟得般若真理
發心依教奉行
他所得福德
勝過身命布施的人

持經功德（三）

若能再進一步
書寫、受持、讀誦
為人解説
他明白自己本性
更使他人見性
他所得福德
更加不可勝數

《金剛經》大乘道（一）

此經功德之大
不是心所能思
非口能議
非秤能稱
非尺能量
它重過須彌
深逾滄海
功能超乎想像大

《金剛經》大乘道（二）

此經乃如來
專為發大乘菩薩道心
及發最上佛乘的眾生而説
若人受持《金剛經》
廣為宣説
如來會知道此人
並眼見此人
成就不可思議的功德

《金剛經》大乘道（三）

唯有此等般若智慧
又能讀誦解經的行者
才能承擔如來
「無上正等正覺」的家業
而二乘人有四相執著
對大乘無相無住
他們不能理解
就不能受持奉行

《金剛經》大乘道（四）

須菩提
般若智慧在人，人貴
在處，處尊
只要有這部經的地方
天、人、阿修羅等
都應恭敬供養
此經所在處即塔廟
眾生都要恭敬頂禮

消滅罪業（一）

若有人一心修持此經
仍未得人天恭敬
反受人輕賤
那是因為他前世所造
罪業深重
依然忍辱修持
仍可消滅罪業
將來證得無上正等正覺

消滅罪業（二）

於末法之中
有人受持誦讀此經
所得功德之多
怕佛說了你不相信
不可思
不可議
所能證得果報
不可思議

無衆生爲我所度（一）

須菩提問道佛陀
有善男子、善女子
已發心求無上正等正覺
如何能保持菩提心？
如何降伏妄想動念心？
佛陀說，應當
發起清淨心
以無我度生

無衆生爲我所度（二）

發起無上清淨心
使眾生滅除一切煩惱
到達涅槃境界
而不認為眾生為我所度
為何？
菩薩若有四相分別
就不是菩薩

無衆生爲我所度（三）

實際上，沒有一種
法名為發心求無上正等正覺
當年佛陀在然燈佛處
也沒有一種法證得
只是了悟諸法空相
故說無眾生為我所度
而是眾生自己
明心見性吧

無上正等正覺（一）

看見佛陀的喜悅
因為須菩提的般若智慧
真的沒有一種法
能令如來證得
無上正等正覺的清淨菩提
如果佛陀有得到一種法名
叫「無上正等正覺」
然燈佛不會授記

無上正等正覺（二）

佛陀在然燈佛處
若有所得
然燈佛不會授記，說
「你在來世，一定作佛，
名釋迦牟尼。」
因沒有「無上正等正覺」可得
然燃佛才為佛陀授記

無上正等正覺（三）

為什麼？
沒有無上正等正覺
所謂「如來」
乃一切諸法
體性空寂
絕對平等
超越所有差別的執著
佛陀證得此理
故名「如來」

無上正等正覺（四）

如果有人說
如來得了無上正等正覺
那是沒有這種法的
只是佛應眾生根器
方便修行
權宜立個假名
叫「無上正等正覺」
實際上沒有

無上正等正覺（五）

佛陀所說
無上正等正覺
虛實不二
不能執為實有所得
也不能執為空無
諸法萬象體性空寂
故如來說
一切諸法都是佛法

一切法都不眞實

所說一切法
只隨順世諦事相而言
就空寂性體立場
一切萬事萬物
都不是真實的
以此顯發事相
立種種假名

第二篇 如夢幻泡影

胡蝶

你是因緣假名

你這身強體壯的色身
是無常虛假的形像
緣聚則成
緣盡則滅
所以不是健身
只是假名「健身」

秋瑾像

菩薩也是因緣假名（一）

菩薩如果説
「我應滅度眾生」
他就不是菩薩
為何？並無
一種法名叫「菩薩」
都是因緣假合
一切諸法
沒有四相分別

菩薩也是因緣假名（二）

如果菩薩作是説
「我當莊嚴佛土」
就不能名為菩薩
落入凡夫的我見法執
佛説莊嚴佛土
為度生方便
權立個假名
叫「莊嚴佛土」
並不是真有佛土可莊嚴

四十年代末与女儿姚姚合

衆生心即佛心（一）

如來有肉眼、天眼
慧眼、法眼、佛眼
若一沙一世界
一沙為一佛世界
諸佛世界的眾生心
佛完全知曉
佛眼可攝一切眼

衆生心即佛心（二）

諸佛世界的眾生心
佛完全知曉
為什麼？
眾生心源與佛如一
眾生心即佛心
但眾生心常被六塵蒙蔽
生出種種虛妄心念

衆生心即佛心（三）

虛妄心念
不是真實不變的心性
只是假名為心
過去心、現在心、未來心
都是無常虛妄
皆不可得

不以色身見如來（一）

如來不應以色身見
如來說具足色身
即非具足色身
是名具足色身
具足色身
只是因緣假合的幻相
非真實不變的實體
假名為「色身」

不以色身見如來（二）

是故，不應從
三十二相見如來
因為如來說諸相具足
是為方便度化眾生
顯現的幻相
非真實相貌
不過是一時假名

不要謗佛（一）

眾所周知
佛陀有所說法
不然佛法從何來？
但佛說
若人言如來有所說法
即為謗佛
不解佛陀所說故

不要謗佛（二）

一切言説為啓眾生
真如自性
隨緣而説
只是一時方便言語
權立説法之假名
故説如來有所説法
即是謗佛

衆生也是假名（一）

我問佛陀
未來衆生聞佛
無說之說
能生起信心嗎？
佛言
他們既不是衆生
也不能說不是衆生

衆生也是假名（二）

就法性空寂言
眾生也是佛
尚未了悟真理的佛
佛也是眾生
是已悟道的眾生
原來沒有什麼
眾生不眾生
眾生只是一時的假名

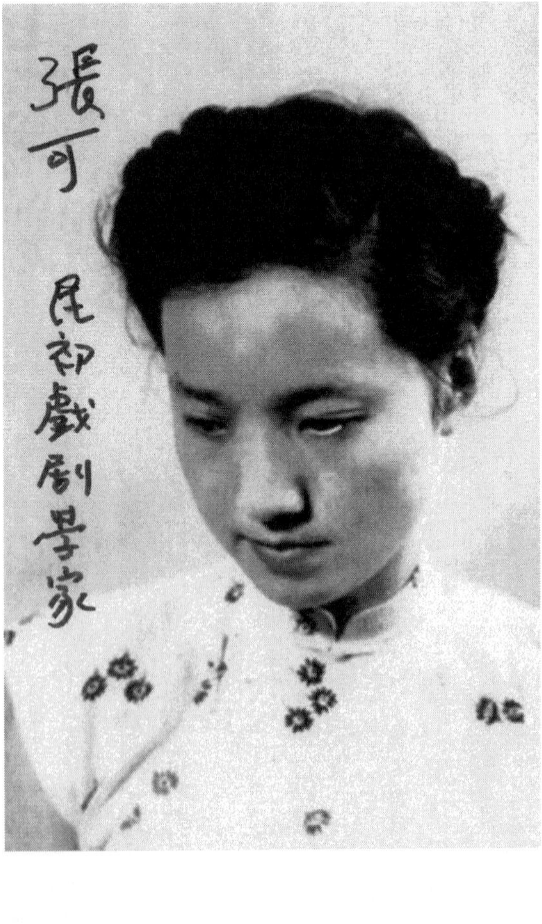

無所得（一）

須菩提問佛
您得無上正等正覺
是真無所得嗎？
佛印可說
不僅是無上正等正覺
乃至纖毫之法
亦無所得

無所得（二）

得者
因為有失也
我本無所失
何來有得？
無上正等正覺之名
乃是覺悟自性
而不是
有所得

真平等（一）

沒有高下分別的法
才名為無上正等正覺
眾生不執著於
四相的妄想分別
修一切善法
即可悟得
無上正等正覺

眞平等（二）

所謂善法
也不過是因緣
合成的假象
不可著相
善法之名
乃隨順
世俗事相言

無衆生可度

須菩提，不要有
「眾生可度」的念頭
為什麼？
因為眾生當體即空
無實在之相
若如來認為有眾生可度
如來自己也
落入四相執著之中

凡夫並非凡夫（一）

如來所說「我」
是假相之我
為度化眾生的方便
權巧設個我
凡夫以為真有我
但凡夫並非凡夫
凡夫是誰？

凡夫並非凡夫（二）

一切凡夫
都具有如來智慧
凡夫與佛本來平等
因隨逐妄緣
未能了悟生死
暫時假名
為凡夫

佛陀說偈

如是我聞
佛陀說偈：
若以色見我
以音聲求我
是人行邪道
不能見如來

不說斷滅相（一）

佛陀教示須菩提
不要有這樣的念頭
以為如來
因不以具足相的緣故
才得到
無上正等正覺
你如果這樣想
就落入斷滅的偏執

不說斷滅相（二）

落入斷滅的偏執
認為不須要
有什麼善法的修行
為什麼？
因為發無上正等正覺的人
於法不說斷滅相
不著法相
也不著斷滅相

相應空性（一）

菩薩若以滿恒河沙
等世界七寶持用布施
所得功德
當然無法計量
若明白一切法無我
皆因緣生
沒有真實有恆的體性
由此了知無生無滅

相應空性（二）

不為外境所動
即與空性相應
內無貪念
外無所得
親證無生法忍
那麼這位菩薩的功德
比七寶布施的菩薩更多
諸菩薩不受福德相限制

菩薩不受福德相限制

為什麼菩薩
不受福德相限制？
因為菩薩發菩提心
利益眾生
不貪求福德
不著相布施
所以才說菩薩
不受福德相限制

如來無來無去（一）

若有人說
如來有來去坐臥相
此人不解佛深竟
為何？
所謂如來
實在是無所來處
也無所去處
故稱如來

如來無來無去（二）

如來為法身
法身無形無相
遍滿虛空
無所不在
寂然不動
哪有來去之名？

如來無來無去（三）

眾生所見之相
不過是如來應化身
應化身隨眾生機緣
有隱有現
而法身恆常寂靜
無所從來
亦無所去
故名如來

世界都是假名假相（一）

三千大世界都碎成微塵
微塵就很多了
若這些微塵眾
是實有恆常的體性
佛陀就不說多
佛說微塵眾
乃因緣所生假相
無恆常自性

世界都是假名假相（二）

因緣和合的假相
只是一個假名
為何？
若世界是真實有
那就是一合相
如來說一合相
也非實有
一個因緣假名罷了

世界都是假名假相（三）

所謂一合相
沒有定相可言
如何可以言說？
惟凡夫執著取相
貪戀執著
有一個真實的一合相
世界都是假名假相
隨因緣生滅

四相不實（一）

如果有人說
佛言我見、人見
眾生見、壽者見
四相是真實的
此人不解佛深意
為何？
四相見不實虛妄
只是隨緣立的假名

四相不實（二）

發無上正等正覺心的人
對一切世間法
出世間法
應如實去知
如實去見
如實信解
心不執著一切法相

四相不實（三）

須菩提，應知
所謂法相
並非有真實
不變之法相
只是緣起的假相
佛陀暫時應機
説法的假名

四句偈福德（一）

如果有人
以世界七寶為布施
另有人
發無上菩提心
受持《金剛經》
那怕只有四句偈
福德勝過行
七寶布施的人

四句偈福德（二）

受持《金剛經》
信受讀誦
為人解說
不執著一切相
隨緣說法而如如不動
一切有為法
如夢幻泡影
如露亦如電
應作如是觀

佛說是經已

佛陀說完《金剛經》
長老須菩提，以及
在場聽經的比丘
比丘尼、優婆塞
優婆夷、天、人
阿修羅等
無不法喜充滿
一心信受奉行

如是我聞

我一腳走入
佛陀的時代
聽佛説《金剛經》
有進一步悟得
那台獨毒化台灣人
美帝為害世界
都是有為法
如夢幻泡影

寫詩不是假相

我問須菩提聖者
我是詩人
詩人可以是假相
但寫詩用的是
真靈魂
真性情
不應該是假相吧！

我的詩有生命

眾生，看我的詩
有生命的氣息
有生活的韻味
我的詩也
美的
如江南煙雨
這是微塵嗎？

你們不是夢幻泡影

一切有為法
都是夢幻泡影
我是深信不疑的
但你們三人
似乎不是
至少在我這一代
或再下下代
還不是夢幻泡影

你的美

光看這眼神
感覺你的美是
屬於夢
甚至屬靈的
為抗拒這動心
許多凡夫要
誦念多少回
《金剛經》

黃飛鴻

你的肉身已飛灰煙滅
真的是因緣
和合的假相
但你的精神鼓舞很多
中華兒女
你的法身在中國社會
無所不在
這可是實在的真相

十三姨

看她這個架勢
也算武林中
一把名劍
想當年
許多江湖上的恩怨
還有情仇
定會問道於劍

妳辛苦了

自從張靈甫將軍
壯烈成仁
妳辛苦了
這個人生
妳，如來
亦如去
是否仍
牽念著他

張靈甫

似乎一切都過去了
歷史，如夢幻泡影
只有她
夢是真實的
泡影未滅
還有
你修成的法身
也是不滅的

即将进入山东作战
的张灵甫

自从离开南京踏

老校長（一）

你走了這麼久了
仍在許多人心中
佔一席之地
台獨偽政權
只想毀滅你
子弟兵無力維護你
但你早已修成的法身
法力無邊啊

老校長（二）

佛說一切有為法
如夢幻泡影
尊敬的老校長
你的春秋大業
追求中國統一的理想
將由中國共產黨
為你完成
這件事，眼前
決非夢幻泡影

蔣經國

最近你的日記
爆光了
你大罵美帝
真的大快人心啊
可惜你的接班人
李登輝禍國殃民
相信至今
你心仍不安

俞大維

你的身影已化成微塵
但這地方我好熟悉
你離開高登後
換我去苦守兩年
對我們而言
駐守高登
決非夢幻泡影
那夢裡身影很真實

末代皇妃

妳們是誰？
是風花雪月吧
風花雪月又是誰？
是地水風火吧
地水風火又是誰？
我知道了
如我
只是一微塵

李鴻章

你又是誰？
被人罵得臭頭
但你說對一句話：
那鬼地方
雞不拉屎
鳥不生蛋
男無義女無情
現在仍是

婉容

只怪命不好
滿清這家店
開不下去了
打烊吧
看開一點
當皇帝又怎樣
還不是
一粒微塵

郭布羅（婉容）

妳貴為溥儀元配
應該也享受
幾天的榮華富貴
但關店之際
多少有些苦難
妳不知道
現在
妳又活在數位中

溥儀和婉容

生來就是終結者
不能怪你們
這是天命
誰能扭轉天命？
誰能改換乾坤？
至少你們
了結了一種業
也是生命流轉的完成

這經典照

光影是多麼經典
包含在下
也曾經尊為寶
說夢幻泡影
說一微塵
許多人
打死不相信

孫立人

你的忠誠
我是信任的
最壞的是美帝
美帝的邪惡
比鬼可怕
我也相信未來的
中國史不會是
夢幻泡影

妳是誰？

妳是趙曼
妳定是鬼的剋星
那些小日本鬼子
倭鬼
一看到妳
必死入地獄
永世
不得翻身

蔡鍔

有些事情久久
不成泡影
久久不滅
例如你是護國大將軍
你和小鳳仙傳奇
至今
尚未成微塵

瞿秋白

你曾是最高領導
奈何敵人捕住
槍決了
感傷啊
這真是夢幻泡影
掉下人頭
就當成
掉下一粒微塵

白崇禧

一九四九年時
你可以不來台灣
但你來了
可敬
你們丟失的江山
你兒子白先勇
用文學收復了

漢奸

你們是漢奸的
祖師爺
現在我明白
台灣為何成為一座
漢奸島
原來和你們都有
傳承
都到倭國取經

曾國藩

眾皆說你是一代名臣
說名臣
即非名臣
是名名臣
你也曾經說法
那些法
尚未成微塵
因為許多人還記得

蔣緯國

你這風光的一輩子
也有身不由己的苦
例如從何而來
往何處去
但你一到西方
了這一生的業
轉世的路向
應清楚明白了

這個美帝是誰

這美帝的樣子
他是誰？
阿狗或阿貓？
或一粒微塵
有誰在乎？
我不在乎
你不在乎
歷史更不在乎

顧維鈞

你是一代大外交家
久駐美帝
對美帝應很了解
現在全球
最夯的話題是
美帝衰弱
中國崛起
你在西方也聽到了

風花雪月（一）

你是一陣風
不小心
吹到一個轉世的
渡口
一些愛恨情仇風
沒讓你發瘋
至少你這輩子
很風光

風花雪月（二）

兩位都是民族奇華
只可惜，二位所
維護的中華民國
被台獨偽政權
賣光光，罷了
春秋大業和
風花雪月
找不到什麼區別

風花雪月（三）

你的國雪上加霜
你地下有知
要救救台灣
罷了，就叫中央
武統吧
至少武統後
大家還是中國人
兩岸共享風花雪月

風花雪月（四）

月月愁
這是台灣的現狀
兩位可知道嗎
有志之士
再也不救國了
去玩風花雪月
這南蠻荒島
日日愁

歷史定位

你一輩子所追求
只是一個歷史定位
說定位
即非定位
是名定位
就是永遠沒有定位
因為夢幻泡影
如何定位呢？

張學良

你一失足千古恨
也許你頓悟了
三千大世界
都是因緣和合假相
風花雪月
春秋大業
根本毫無差別

我是誰？

達摩都不知道
「我是誰？」
我怎會知道
我是誰？
說是我
即非我
是名我
暫得一假名

林彪一家

當年說你是反革命
我不知道
革命和反革命
有什麼差別？
因為二者都是假相
夢幻泡影
如露如電
瞬間具化成微塵

金佛莊

任命金佛莊為
陸軍官校第三隊隊長
善男子，此後汝心
是否長住軍校？
是否降伏其他妄心？
保國衛民
近代史尚未成為
夢幻泡影

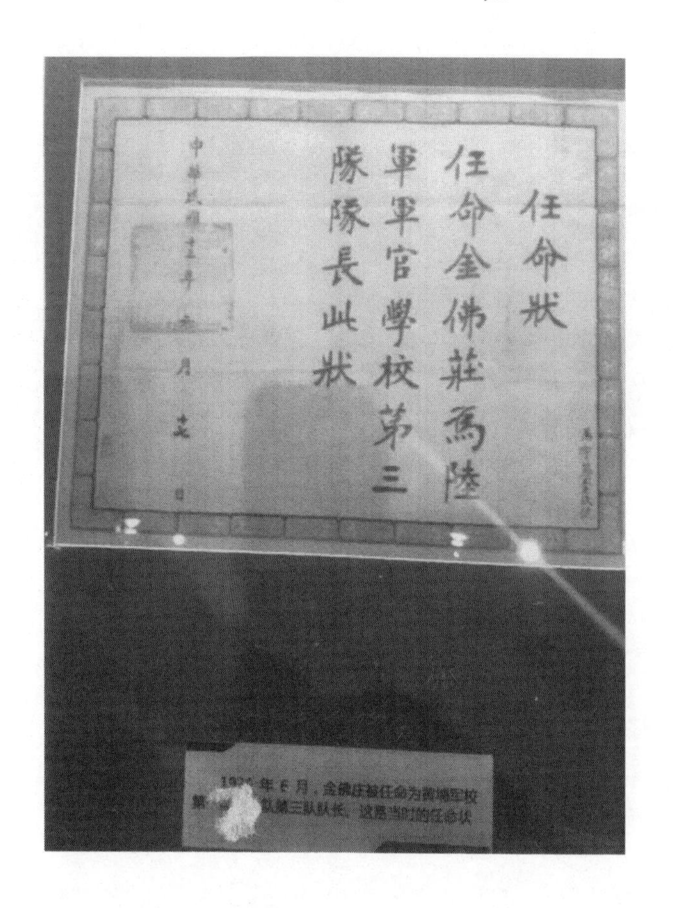

你畢業了

這位前輩
你畢業了
在民國十一年
應該早已移民西方
你的人生
不會是夢幻泡影
有大咖陸軍總長
為你立證

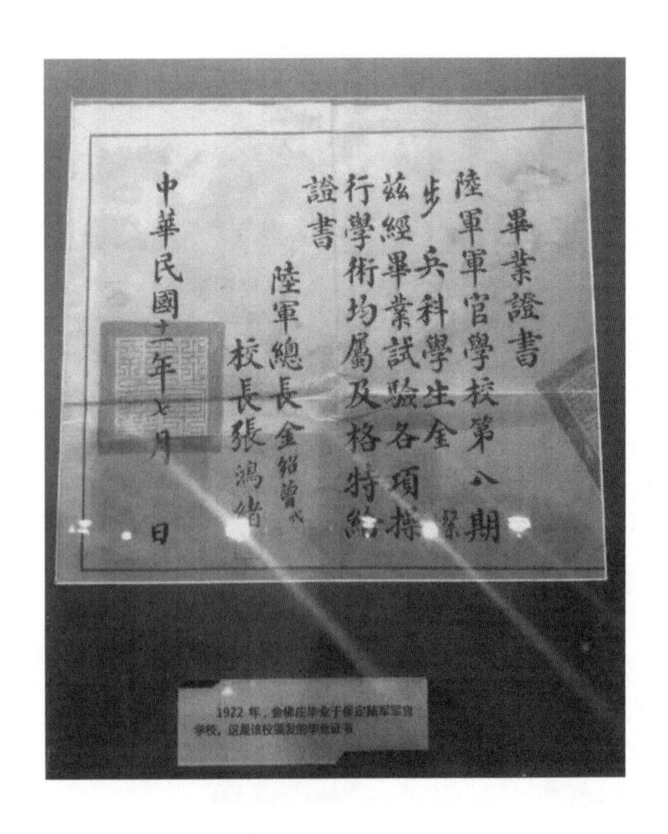

畢業證書
陸軍軍官學校第八期
步兵科學生金
茲經畢業試驗各項
行學術均屬及格特給
證書
陸軍總長金紹曾代
校長張鴻緒
中華民國十一年七月　日

你是佛說的菩薩

我相信
你未說：
「我當滅度眾生」
「我當莊嚴佛土」
沒有四相分別
通達諸法無我的真理
你是佛說的
真正的菩薩

現代孔子

在你的時代
中國人都迷失了
不知道自己是
貨真價高的中國人
你起而救國魂
醫人魂
你是現代孔子
福德無量

中華民族的血管

你是一條
中華民族的血管
大血管、大動脈
永不止息
流、流、流
流向未來中國夢
你的傳奇
流向全球

敦煌夜市

多麼熟悉
我的神魂曾經來過
或前世曾有一住
永世不忘這
中國人
中國風
中國味
因為基因會轉世

吾土

一向自命
我是中國、中國是我
所以我認定
中國全部的領土
都放在我心上
包含這塊
我是全中國
最大的地主

張掖

從大漢到現在
兩千多年了
竟沒有灰飛煙滅
這夢幻泡影
能歷千年不衰
要歸功於中華民族
中國強盛
張掖必繁榮

也是有爲法

這也是有為法
看起來
如夢幻泡影
感覺
如露亦如電
但它恆久以來
就站在這裡
終將碎為微塵

美是有爲或無爲法

美感天成
是無為法
還是有為法？
只要地球在
這都美美的
記得佛陀説過
一切法
都是佛法

這是什麼法？

三千大世界
都在這裡
吾取七寶布施
廣為宣說
《金剛經》四句偈
不求功德
只聽無情
說什麼法？

無情說法

夜晚的星星
在講《金剛經》
你聽懂了嗎？
山河的大眼睛
拈花微笑
你悟到了嗎？
若都沒有
我不忍說你笨

交河故城說

千百年來
交河故城在這裡說書
說凡所有相
皆是虛妄
緣聚則生
緣盡則滅
千百年生生滅滅
我是證人

南湖大山說

南湖大山期許自己
是台灣山
也是中國山
於法亦屬神州
此乃緣聚而生的基因
千百年如是
南湖大山說法
我了然於心

非夢幻泡影

懷裡抱著一個希望
希望，是多麼
貨真價實
未來有很多可能
台灣的希望
中國的希望
此刻真實
決非夢幻泡影

鬼的遺跡

一群倭鬼
小日本鬼子
曾在島上大屠殺
死不悟的台灣人
仍守著鬼的遺跡
佛陀，鬼是眾生之一
何時能悟？

三千大世界

到底三千大世界
在那裡？
我找了很久
有一天突然了悟
從一朵花可看天堂
一粒沙可看世界
這橋上望出
就是三千大世界了

你的孝行感動天地

佛經上有一則故事
一個很窮的女孩
點一盞小小燈
為供養佛陀
小燈竟照亮三界
你的孝行會感動天地
因為你供養的
正是一個菩薩

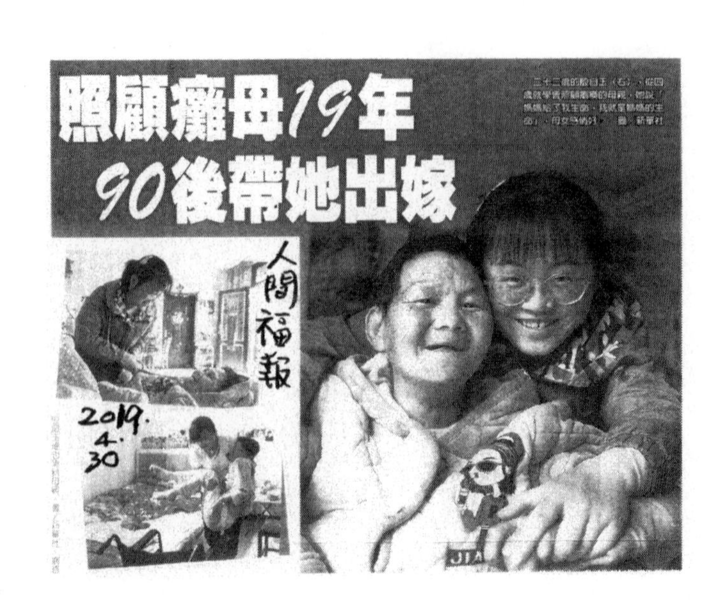

佛住這裡

這是佛塔廟
裡面定藏有佛的經典
經典所在的地方
就是佛的住處
一切世間天人阿修羅
皆應供養
我在千里外提筆
讚頌、頂禮

長城活了（一）

這是一八七五年
長城啊！
看似灰飛煙滅
碎為微塵
但現在又活了
活在地球各洲洋
一尾活龍
將統治世界

長城活了（二）

長城每回復活
都嚇一堆眾生
這回活了
美帝和西方世界
基督、天主等
都快混不下去了
啓動新八國聯軍
長城轉守為攻
全球中國化

儒佛道一家親

中華文化的三個核心價值
正是儒佛道
儒佛道一家親
孔子、佛陀、老子
三聖者
是否曾經相約
在這裡喝下午茶
各自講述自己的道？

中國在哪裡（一）

三皇五帝夏商周
秦漢三國兩晉
南北朝隋唐
五代宋元明清
中華民國
中華人民共和國
中國在哪裡

中國在哪裡（二）

在中華文化裡
在中國人心裡
在每個朝代裡
在孔孟、老子、佛陀
各大聖者懷裡
說白了
中國在我心裡
我就是中國

中國在哪裡（三）

中國會永遠在地球上
當地球第六次
大滅絕來臨
各國各族
全都灰飛煙滅後
再過很久
中國是最後
成為夢幻泡影者

夢幻泡影者

曾經代言中國
位高權重的統治者
碎為微塵後
以夢幻泡影的身形
住在這裡
成為觀光聖地
賺錢以富國強軍
功德無量啊

SARS

這東東來了
很要命
絕非夢幻泡影
要了你命
才是夢幻泡影
如果你現在仍在
要感謝因緣
時間未到

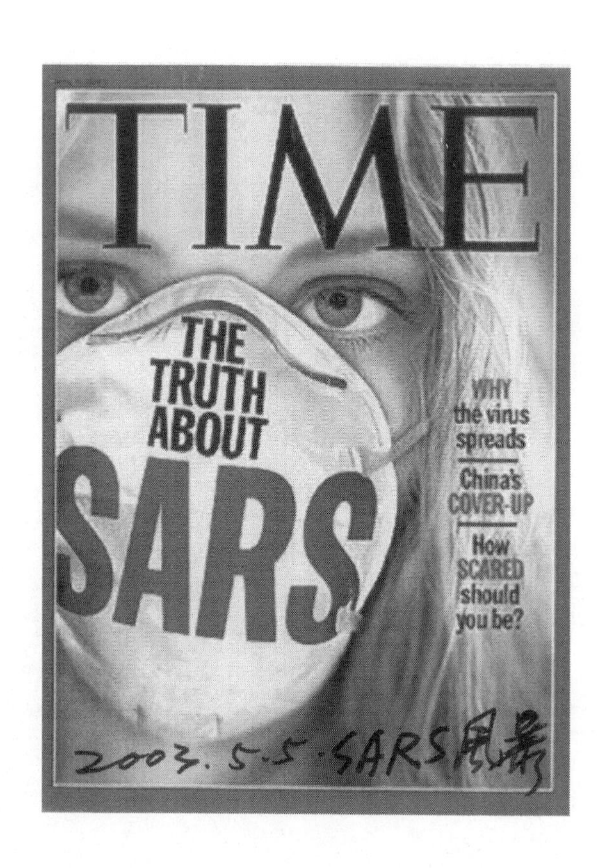

靈山佛境

這裡看似靈山佛境
隱約感覺
佛陀拈花
迦葉微笑
或祇樹給孤獨園
有佛音傳出
善哉！善哉！
須菩提，如汝所說……

嵩山少林

為什麼說
天下武功出少林
少林武功出達摩
這裡也是
佛的道場
有佛在
佛法無邊
天下無敵

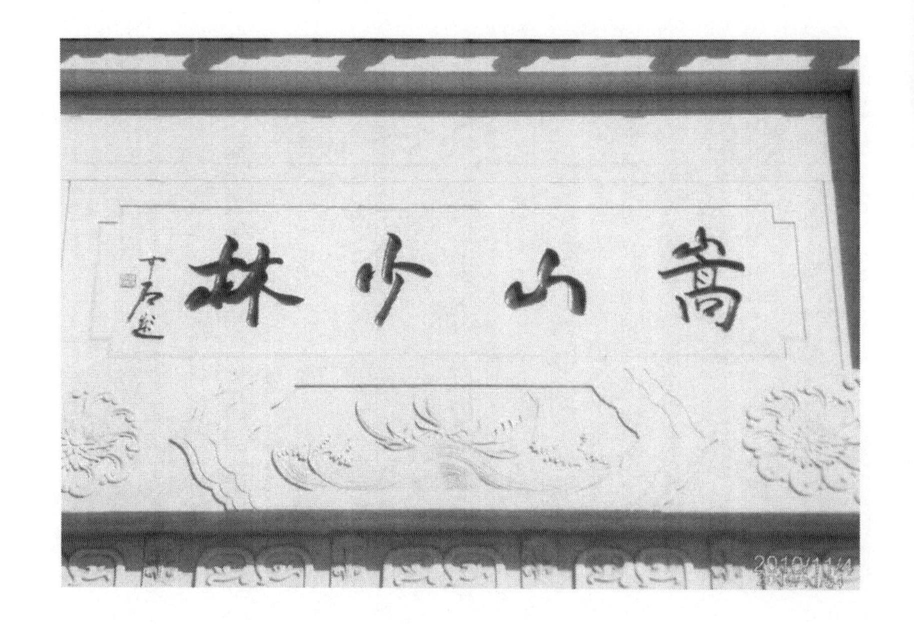

陳毅・龍門

老將軍飛上龍門
位高權重
我們是老鄉、詩人
這些歷史不記載
歷史只記權力
很快斷滅
成為夢幻泡影

鄧小平

只記得我老校長蔣公
有墨寶曰
以國家興亡為己任
置個人死生於度外
意外看到小平同志
有志氣節
你倆是不是心連心？

圖為鄧小平題贈楊亨顯先生墨寶複本，現藏於大華技術學院圖書館。 攝影／許肇興

老英雄高永周

大環境的悲局
讓你流落
在這蠻荒小島
你照顧過的人
依然懷念你
你就永住西方吧
別來地球了
這裡太黑太亂

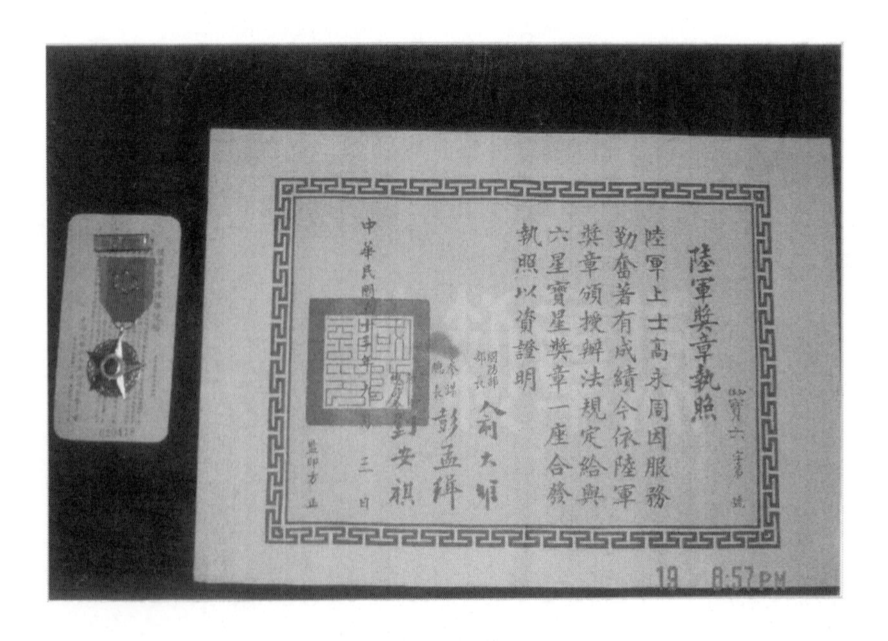

陸軍獎章執照

陸軍上士高永周服務
勤奮著有成績今依陸軍
獎章頒授辦法規定給與
六星寶星獎章一座合發
執照以資證明

國防部部長 俞大維
參謀總長 彭孟緝
劉安祺

中華民國

奇花永流傳

這是一九三〇年代
最美的奇花
色身若在
已是百歲曾祖母
而光鮮形像
如夢幻泡影
可在歷史洪流中
再流傳好幾代

1930年代，一群年輕女士穿水手服在寫真館留影，顯示青春的俏麗。

燒包一下

也想站在流行的前端
感受一下
長髮披肩的味道
站在藝術之前
那個年代
人很著相
若要燒包一下
總得要在相上下功夫

一九三六柏林世運會

傅淑雲、翟連元
劉王華
你們代表中國參加
一九三六柏林世運會
那時，國內正亂
所有具碎成微塵
只有這身影
存留在時空長河裡

1936年，參加柏林世運會的中國國術表演隊三名女隊員傅淑雲、翟連元、劉王華。這是最早中國體育選手出國禮服之一，胸口繡著中國的英文字樣以及奧林匹克標誌。

年華如水

未曾想過
人間竟飄雪
雪白成為一種
四週空靈的
美感
誰知年華盛開時
已流過
一江河水

請問蔣公

心中有個疑問
沒機會問蔣公
當年鬼頭岡村寧次
屠殺無數我同胞
依法要判死
你為何保他不死？
為何？
總該有個理由

岡村寧次在降書上用印 民國三十四年九月九日，日軍駐華派遣軍總司令岡村寧次在降書上簽字蓋章。簽完字後，何應欽對岡村寧次發出第一號命令，即日起改稱「中國戰區日本官兵善後總聯絡部長官」，其總司令部亦改稱「中國戰區日本官兵善後總聯絡部」，以協助辦理日俘日僑遣返事宜。 （圖片提供／世界大同文創股份有限公司）

陳誠與譚祥

你是黨國大老
曾有豐功偉業
但歷史太詭異
你和蔣公流落小島
對中國統一
是功？是過？
未來的春秋筆
要如何寫？

1932年，陳誠與譚延闓的三女譚祥結婚合影，這是名門的婚禮，陳誠卻穿軍裝，顯示其個性拘謹。

王寵惠、胡適

你們都一代大家
在大動亂之際
你們選邊站了
是非對錯
就讓後人評說吧
反正一切有為法
都已成夢幻泡影

1947年，國民政府法學界元老王寵惠先生，淺色西裝，採休閒服的設計。

1930年代，抗戰時期中國駐美大使胡適博士，結領花，表現了浪漫的一面。

蔣公、張群

你們丟下一個
爛攤子
中華民國在台灣
拍拍手走了
現在要如何收攤？
當年你們好好解決
定能促成統一
就沒有現在的台毒

1927年，暫時辭去國民革命軍總司令的蔣中正前往日本訪問之前，穿上筆挺的西裝，在龍華會見新聞界，右為其隨行親信張群。

一九三四杜月笙等

杜月笙、蔣廷黻
吳鐵城、楊虎
想當年你們
呼風，風來
喚雨，雨跑來
如今具碎為微塵
這個世界說來
都是夢幻泡影

1934年，上海高層政商人員，左至右為杜月笙、外商鮑氏、外交家蔣廷黻、上海市長吳鐵城、上海市保安處長楊虎。眾人皆著西服，唯獨杜月笙一身馬褂，顯得搶眼。

鬼投降了

地緣的關係
吾國旁邊住著鬼
名小日本鬼子
妄想三月亡華
最終還是投降了
鬼就是鬼
在人的世界
混不下去的

南京受降儀式　民國三十四年九月九日，南京受降儀式在南京中國陸軍總司令部大禮堂舉行，右邊背對者為國軍代表，右至左為中國陸軍總部總參謀長蕭毅肅、陸軍二級上將顧祝同，中國陸軍總司令何應欽上將，海軍部長陳紹寬及中國空軍司令張廷孟。左邊面對者為日軍代表，右至左依序為參謀小笠原清中佐、參謀副長今井武夫少將、駐華日軍總參謀長陸軍中將小林淺三郎、岡村寧次大將、中國海面艦隊司令長官海軍中將福田良三、臺灣軍參謀長陸軍中將諫山春樹、二十八軍參謀長陸軍大佐三澤昌雄。

（圖片提供／世界大同文創股份有限公司）

有志氣的台灣中國人

當小日本鬼子
在神州大地害人時
一群住在台灣的中國人
組成台灣義勇隊
台灣少年團
幫助祖國抗日打鬼
這種民族情操
是永恆的法身

台灣義勇隊與台灣少年團：抗戰時期，旅居大陸的台灣同胞組成抗日隊伍「台灣義勇隊」，在宣傳、醫療、教育、情報、通信方面，支援祖國抗戰。他們的子女們則組成「台灣少年團」。

人抬鬼

小日本鬼子
竊佔台灣
這些倭鬼
前後屠殺台灣人
無量數
牠們騎在台灣人
頭上，而現在
台灣人仍懷念鬼

台灣百姓肩上的日警：日本統治台灣初期，一名總督府警官乘坐漢人山轎巡視山區，日本警官昂首的高傲神情，對照著台灣人卑微的容貌，正是殖民地人民悲哀處境最深刻的寫照。

一九四一重慶兒童

在倭鬼入侵的年代
我們羞澀成長
長大要殺鬼
保衛我中華
幸好幾年後
我們的勇士們
打跑了鬼
看牠們還敢不敢來！

1941年，重慶「健康兒童比賽」中兩名獲勝的女孩，穿著活潑的童裝，顯得很可愛。

這一幕

當我感到
一切都是夢幻泡影時
就看看這一幕
眾生繁殖成
亮麗與壯大
我開始惦記
多溫暖的人間
真實美好

日軍屠殺台灣人

血淋淋的歷史
鐵證如山的證據
絕不容那
台獨偽政權的妖魔
一再否證
凡中國人應用鮮血
洗淨台毒基因
使鬼地方成淨土

日軍屠殺台灣原住民：1913年，日軍血腥鎮壓台灣太魯閣原住民的起義行動，一名日軍軍官對起義原住民領袖施以斬首酷刑。這張照片刊登於日軍本身出版的《征討紀念寫真帖》，炫耀其所謂的軍事勝利，事實上卻留下了日本殘暴統治最直接的歷史證據。

一九三〇潘雪艷

妳在這大動亂的生死海
保有光鮮亮麗的
一塊小角落
妳絕不相信
妳色身碎成微塵後
二十一世紀
妳活了
讓新人類讚賞妳的美

1930年代，上海名伶潘雪艷在自家庭園中盛裝留影，旗袍下端露出小腿，在當時被視為十分大膽新潮。

徐志摩致胡適信

人都已碎成微塵
他們的書信
仍值高價
為何？
很顯然
有些東西具恆久性
過很久才會滅盡

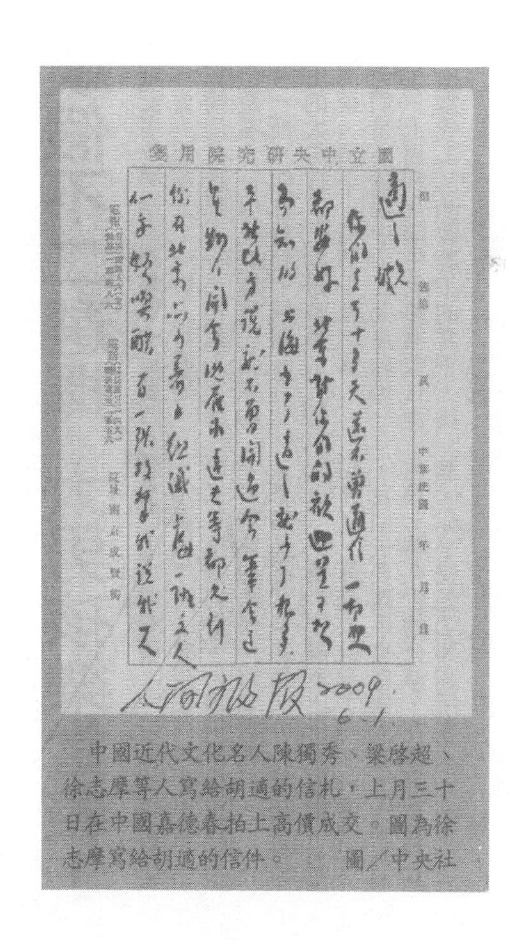
國立中央研究院用箋

中國近代文化名人陳獨秀、梁啓超、徐志摩等人寫給胡適的信札，上月三十日在中國嘉德春拍上高價成交。圖為徐志摩寫給胡適的信件。　圖／中央社

弘一大師

你曾說人生三難得
遇明師、聞佛法
生為中國人
我讚嘆你的智慧
向你頂禮
見這法相莊嚴
想必你已成佛

弘一大師 丰采重現

經過近一年的籌備，備受關注的弘一大師李叔同雕塑已由著名雕塑家劉鑫創作完成，這座神采奕奕的雕塑作品鑄成銅像後，將在李叔同紀念館與其生前文物一起展出。

這座雕塑像高三公尺，雕塑家劉鑫在創作過程中翻閱大量歷史文獻，力求將弘一大師的智慧與文化內涵完美呈現。

李叔同的孫女李汶娟、李莉娟在看到雕塑時給了極高評價，讚歎作品十分傳神，興奮地與爺爺的雕像合影留念。 圖／取自網路

第三篇　如露亦如電

文藝獎
榮耀迴響
主辦單位
中國文藝協會

這一輩子（一）

四捨五入七十了
回顧這輩子
如夢幻泡影
夢，時有時無
幻，若隱若現
用許多泡影
建構偉大的理想
皆正在碎為微塵

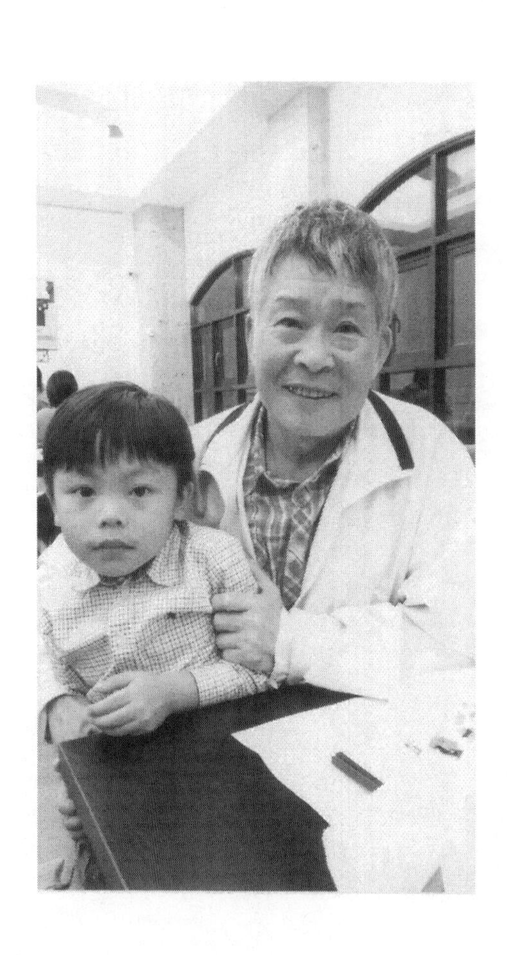

這一輩子（二）

活了幾十年
總該有所得
我一再思索加減
竟不增不減
無所得
是真實的
無智亦無得

因緣（一）

雲不會自己飄
有風推他
風不會自己吹
有氣加持
氣不會自己找上門
有熱給他溫暖
錢不會主動來
找你約會

因緣（二）

她為什麼多子多孫？
他為什麼孤家寡人？
他為什麼不戀不婚？
都有因緣
因緣何在？
不在前世
就在今生
因緣很快會結果

把握（一）

把握雲未散
風尚輕
陽光尚有溫煦情意
留住一張
夢幻泡影
就在這當下
瞬間真誠的演出
是真實的存在

把握（二）

把握山水尚未
碎為微塵
童心尚是自性
我撫摸他們
就這片刻
我也明心見性
片刻一過
諸法碎為微塵

過往

過去心、現在心
未來心
皆不可得
我們卻追憶過往
回憶是一座黑洞
你不進去
它吸納你
可回到過去

站在這裡

沒頭沒尾的
站在這裡
想像這裡到底是
起點、轉點或終點
或那一世
不論那一世代
所見皆空相
未見一物

你我他（一）

你是誰？
你說是你
說你
即非你
是名你
那就暫時假設
是你
你再求證吧

你我他（二）

我是誰？
我說是我
說我
即非我
是名我
那就暫時假設
是我
我會再求證

你我他（三）

他是誰？
他說是他
說他
即非他
是名他
那就暫時假設
是他
他也會再求證

長大了

這兩個小朋友
長大了
以前我抱在懷裡
瞬間就長大
如做一夢
忽現一幻
就整個世界
都變的不一樣

那時

像是很久以前的事
天地初開
太陽尚未來
一切都還朦朧
尚未進化的
單純
一個多麼清淨的世界

長大與進化

成長啓動進化
進化推動異化
然後是獨立和切割
切割一個宇宙
變成兩個或數個
宇宙和宇宙間
沒有蟲洞
這是長大的定義

一路走來

人間道上
什麼鳥事都有
環境無常
怪風怪浪經常有
或一陣野火
突然燎原
幸好現在都已
碎為微塵

似有若無

人間道上
也非常詭異
明明是有
感覺不出
說是沒有
卻讓人心煩
說是泡影
仍然是有

人生有夢（一）

夢幻泡影
其實是一種絕美
美如仙境
才會人生有夢
眾生都愛織夢
夢想一片好風景
握在手上或
從天上掉下來

人生有夢（二）

夢想四季如春
天天星期天
一切想愛
都開花結果
夢想著
心想事成
夢想著，夢
永不碎為微塵

歲　月

以前的歲月長腳
用走的
現在的歲月是超高鐵
用飛的
來不及講一則故事
就過幾個時空
明日的歲月
不受物理定律限制

阿甘正傳

今天閒著
又看一次阿甘正傳
阿甘問的好
到底人皆有命
或隨風飄流
還是兩者都有
千古疑惑
答案就在
《金剛經》中

寶山水庫

家業兄住
寶山水庫叢林中
日夜聞無情說法
蟬，誦心經
鳥，稱諸法空相
一群好來採柚子
主要是來
聽經聞法

混日子

日子被一個殺手追殺
所剩不多
能混就混
想做一條魚
游向江海
在天空悠遊
讓殺手找不到

過日子

大家都怕歲月殺手
我們就這樣
過日子
團結力量大
有組織有戰略
剩下的日子
保證必勝必成

度日子

我們點燃心燈
照亮角落
或用胸中之火
助長革命火苗
燒起革命大火
推翻台獨偽政權
老人家度日子
還是可以很偉大

殺日子

人生苦短
歲月太兇
有時得狠狠的殺他
好酒好菜
大把的銀子
只管丟下去
保證日子被殺得
風光亮麗

銀子少留

老人家殺日子
第一定律就是要
大把灑銀子
留著銀子是禍害
禍害子孫
用掉才顯價值
若用於布施
功德無量

禪趣人生

佛說眾生即非眾生
那麼，人生
又是什麼？
不立文字
以心傳心
就是夢幻泡影吧
因為杯子空空
你可以放入任何東西

老人哲學

老人要活的快樂
必須把往昔
名利、地位、權威、財富
視為夢幻泡影
尤其要把
將軍總裁等頭銜
碎為微塵
活出全新的自己

那些夢幻泡影

人間路都不好走
尤其已走過六七十年的人
回顧一下
有多少困局？
被霸凌、打壓……
這些，都讓它成為
夢幻泡影
當下就是歡樂人

峨眉山聽經

到峨眉山看景外
我還聽經
會講經的不是
只有僧人
峨眉山的無情說法
我聽到了
不知同路人聽到否！

把握慢活

我們充份把握
碎為微塵前的時光
快樂慢活
慢活，就是以龜速
行走於
光陰高速公路
很久以後
才會到達終點站

慢活眞好

當你把一切都看成
夢幻泡影
微塵假相
你就能快樂慢活
什麼李漢奸死了
偽政權大貪官等
具為微塵
好好享受自我人生

都是大咖

中國現代文壇
這幾位都是大咖
可喜可賀的
現在，現在
尚非夢幻泡影
亦未碎為微塵
因為中國夢尚未寫完
我們加緊織夢

一介草民

奮鬥了一輩子
驚覺，我最喜歡的名銜
正是「草民」
草民自由自在
我行我素
與綠野花草同在
傾聽無情説法
如聞花草之心經

懷念學慧師姊

風景已經不在
不能重現
因為學慧師姊已從
佛光山，移民到
西方靈山
她可就近天天見佛
聽佛講經
最幸福的修行

彈琴談情

我彈琴
談我心中的情
熙熙攘攘的人間道
能有這片刻
和好友交心
弦音流出的是
愛與情

《遠望》雜誌

劉建修、廖天欣
林金源、石佳音等人
用《遠望》宣揚
統一理想
這個理想永遠真實不死
永不碎為微塵
永非夢幻泡影

吳信義領導統一會

所謂萬法唯識
三界唯心
相隨心轉
吳信義所領導的
中國統一會
堅持永不碎為微塵
誓必完成統一
實現中國夢

架兩岸橋

被倭奴國殖民五十年後
許多人忘了自己
是中國人
天天都想拆除兩岸橋
信義、俊歌和我
仍不忘本
積極架起兩岸
文學詩歌文化長橋

四君子

走在如夢的人間
把握這不是幻影的瞬間
擁抱彼此的暖意
心定了
不驚於光陰波瀾
那洶湧巨浪
衝到我等眼前
具化為微塵

三兄弟

這一世我們同行
證據在此
我們曾一起飛翔
進出長江黃河
架兩岸文化橋
那江河浪潮
仍在我們心中
起起落落

牽手一輩子（一）

世間有什麼事是
一輩子不變？
大概就是
牽著太太的手
在平淡中過日子
平常、平淡、平凡
腦袋不發達
才會持之恆久

牽手一輩子（二）

牽了一輩子
不累嗎
勿想太多
婚姻生活簡單最佳
一起散步看日月
買菜做飯吃三餐
同在一桌
同睡一牀

牽手一輩子（三）

就是這麼簡單
就像吃喝拉撒
有如禪宗
不立文字
言語難說
教外別傳
若能有此一悟
必能百年好合

阿里山

我們重回阿里山
找尋回憶
說來很奇怪
已經多少年了
那些舊夢
並未成為泡影破滅
亦未碎為微塵
感覺仍很真實

同路人（一）

我們一路同行
經久不變
成了同路人
一起收藏人間道上
風花雪月
共同見證
許多歲月
幻夢中又花開

同路人（二）

在清淡的友誼中
加一點鹽
偶爾喝杯冰啤酒
友誼更有味道
萬古業海大飄流
眾生都在流浪
我們竟流成同路人
因緣神蹟啊

平淡的日子（一）

人生路說來單純
此岸走到彼岸
而之間
到處走走
或峨眉山訪仙
煮雲充飢
不要怕會餓死

平淡的日子（二）

尚未到達
色即空、空即色
無我、無人、無眾生
最高之境界
一介凡夫
在平淡的日子裡
尚須有彩之色
相伴為樂

衆樂樂

在人生叢林荒野
不要獨行
來，我們同樂
大家在一起唱歌
產生很大的力量
掠食者不敢覬覦
你才能活得久久
這是眾樂的秘方

即興隨想

帶著無所得的熱情
行腳各地
路經重慶大學
留下一點證據
萬一來世
轉世成該大學校長
總會有些許夢幻泡影
聽我說前世的故事

台大排舞社

舞者是用腳說故事的人
用腳繪展生活之樂
足以傳情愛
加上兩手揮灑
一幅現代行草
流洩的熱情
四週溫度隨之昇燃

爲了這個

為了旅程
必須向前行
（總不能後退回頭）
（也不能原地踏步）
我們到處取經
以為得到很多
最後想想
那些經本來就有

世間最貴

世間最珍貴是親情
三千大世界之七寶
皆不如親情
惟世間婚姻制度
正解體中
未來親情恐如熊貓
在未滅絕之前
我們有幸享受親情

四個上校的期許

國軍上校有吳信義
吳元俊、陳福成
解放軍上校是王天榜
我們共同期許
兩岸不要打仗
和平統一
共享中國夢
合力復興中華民族

中華民族列祖列宗

列祖列宗啊
你們太久沒有顯靈了
台獨偽政權很邪惡
漢奸越來越多
到處是狼犬
人都退化成類人
中華兒女漸稀少
祖宗顯靈救台灣

臺灣大學退休人員聯誼會2015春節祭告文
2015.02.1[illegible]
祖
維
公元二〇一五年(民104)二月廿日吉時臺大退聯會第10屆理
監事暨會員代表在校本部辦公室祭拜我列宗
列祖·我炎黃子孫自三皇五帝立基拓土·歷
唐堯虞舜夏商周秦漢三國兩晉南北朝 隋唐
五代宋元明清中華民國中華人民共和國中國
感懷先祖德澤功業 謹以果醴茶點之儀,致祭
於列祖列宗之堂前曰:
列祖列宗 勳功卓越 開宗始祖 拓疆建業
佈道神州 孔孟李杜 聖賢豪傑 立言立德 代代傳承
至今兩岸 共謀和平 永無戰火 國泰民安
恭維我祖 繼志不忘 謹陳果醴
來格來嘗
謹告

歧路芳草

人間路太多了
歧路、小道何其多
有段時間我走進
一個奇異的世界
有各種奇花異草
個個能説善道
我觀賞片刻
便另尋自己的路

老同學

一路走來
竟已半個多世紀
能不老乎
吃飯閒聊仍不忘
國家民族
亦不忘初心
一輩子不悔的選擇還是
中國統一之路

造夢巨人（一）

天大地大
我們三人也敢稱大
年輕時理想真的比天大
我們要建構一個王國
有完美的典章制度
成為首富是初期目標
最終我們要成
一方領導

造夢巨人（二）

有了共同理想
我們分頭努力
為實現偉大的王國
我們計畫又計畫
研究又研究
數十年如一日
有夢最美
我們是造夢巨人

那些年一起的日子

長青那些年
我們玩的好快活
那麼的真實
至今未成夢幻泡影
情誼之堅固
不會碎為微塵
永在我心

五十二年了

五十二年前
我們在
陸官校預備班十三期認識
那時毛都沒長齊
真誠又單純
走過詭異的世界後
我們始終如一
神奇的因緣

春秋大夢

有些夢並非幻
內含春秋大義之夢
有些泡影是偉大的理想
吸引千萬人投入
就像那些年
我們追求反攻大陸
解救同胞
真實的春秋夢

同胞救我

我們一生追尋春秋大夢
反攻大陸、解救同胞
到如今，雪花片片
落滿山頭
而大業未成
小島已被漢奸妖魔化
此生只剩一個夢
王師南征、同胞救我

喬家大院

那些過去心
具碎為微塵
滅散於虛空大地
所有夢想
幻化而泡影
而喬家大院仍在
頂天立地站在這裡
賺大把銀子

回憶最美

有些年紀後
就愛回憶
因為往事如夢如幻
這是一種美
不能太真實
若真實如銀子
今日用了明日忘
一點都不美

勇士今何在

一九六八年，我在
陸官校預備班十三期
這位勇士
不分日夜晴雨
以不動姿勢站在這裡
我們常圍在他身旁
高唱黃埔軍歌
不知勇士今何在？

春秋大業今何在

浪潮在街頭飄流
吶喊孤寂
四週的鳥冷笑
那些春秋大業
被惡火
燒成灰燼
你們只能在歷史巨浪裡
浮沈求生

望一瞥

我向人間一望
眾生如魚
而水越來越少
大家在少水池中
掙扎求生
很多掠食者
虎視眈眈
我不忍再望

往事碎爲微塵

隨雲的行腳
失落在無名的山村
故事迷離
成為一陣夢幻泡影
在業之大海
載浮載沉
打撈都很困難
因碎為微塵

暫且小憩

長路漫漫
千山獨行
就在這因緣大海的
十字路口
碰到前世的同路人
暫且小憩
相約，接下來我們
一路同行

新苗

世間長的最快
是新苗
幾天沒看
就長到可以頂天
不知以後要長成
什麼樣子
大鬧天宮
也是有可能的

我們這一代

有史以來
我們這一代最辛苦
上一代丟了江山
要我們去收復
奮鬥半個世紀
建立一個小康局面
交給下一代
也算使命完成

悸動

叢林中衝動多
而悸動少
偶爾你會碰到可愛小鳥
讓你的悸動
在笑浪中聚醒
喚醒了沉於海底
百年的心事，於是
出版一部小説

鄭州大學

一種相同悸動的火花
在心中呼喚
火光照亮方向
沿著熟悉的味道
一路來到鄭州大學
有回家的感覺
閒聊喝茶吃飯

記憶冬眠

孩子很小的時候
是你的開心果
很快會變成榴蓮
你的記憶
開始自動進入冬眠
冬眠很久
寂寞面對
夢幻泡影的黃昏

回不來了

人所面對的一切
都回不來
青春光陰童年
以及一些
所言所為所思
也都回不來了
人天生被迫
就是得向前行

創新

把真理打破吧
推翻常規
才能創新你的世界
你的世界
不必傳承於我
革命或造反
都支持你
創新自己的路

聽

我們站在這裡
聽
一種從舊世界
傳來的聲音
聽著聽著
微笑
定有高人在此
無情說法

鄭州大學文學院

一來到
就感受到文學的氣氛
土壤有文學香味
空氣有詩的芬芳
每人喝完一斗酒後
都有詩百篇
脱口而出

馴時間

我們年輕時
時間是一匹赤兔馬
瞬間飛過幾十年
很嚇人
現在要馴時間
要馴服牠
慢走慢吃慢活
令牠不可快

與沙老師最後一見

沙老師已取得
西方極樂世界公民證
我們永遠懷念妳
這是我們最後一見的留影
並未成為夢幻泡影
亦尚未碎為微塵
至少在
大家有生之年

向眾生說法

告訴大一個秘密
佛陀悟道後
講的第一句話是
眾生都有如來智慧
也就是說
你就是佛
別客氣，你就
直下承擔：我是佛

衆生是佛

你看這眾生
抬頭注目
專心聽老師講
他們當中必定有悟者
悟了就是佛
眾生都有如來智慧
只看悟或未悟

即興詩趣（一）

有女神在
眾皆顛倒
向姊姊謨拜
妳的氣質
讓天堂與地獄
同時燃燒
一發不可收拾
眾神也顛倒

即興詩趣（二）

有女便是神
愛的溫度很快
比太陽熱
妹妹你的一笑
瞬間也提高了
市場佔有率
強軍抗美帝
妳們有功焉

第四篇　應作如是觀

衆星拱月

靜夜不請自來
月亮獨行於虛空
低吟孤寂
眾星真的好貼心
乘風尋月
圍在月亮四週搞笑
明月滿足一下
暫解寂寞

天淨沙・沈思（一）

枯藤
為中國之富強統一
奮鬥一輩子
老榮民躺在榮家
那些台獨漢奸
至今依然
糾纏不清

天淨沙・沈思（二）

老樹
一棵棵躺在榮家
心還熱的
而那些台獨漢奸
説是米蟲
老樹的心冷了
早點移住
五指山吧

天淨沙・沈思（三）

昏鴉
時代不同了
昏鴉何在
有的是妖女昏君
更多昏豬昏鼠
一隻隻
騎在人民頭上
灑尿

天淨沙・沈思（四）

小橋
島嶼沈淪
已成永夜
光明在那遠方
所見越來越黑
只好隱於山林
約會小橋彈琴
安慰

天淨沙・沈思（五）

流水
水，日夜不停的流
流走一切
那些昏君貪官
漢奸台獨
具流走
成夢幻泡影並碎為
微塵

天淨沙・沈思（六）

人家
要對幹解放軍
人家騙死人不償命
人家，要當倭奴
人家要把血液裡
炎黃的血放掉
人家騎在人民頭上
灑尿

天淨沙．沈思（七）

古道
再也不照顏色
所有的道
全被收買或管控
道，只通向權力
權力，通向財富
這是古道轉型成
今道

天淨沙・沈思（八）

西風
小島眾生分兩類
類人信仰西風
極少人類信仰東風
但所有西風都怕
東風飛彈
因為西風沈落已是
定局

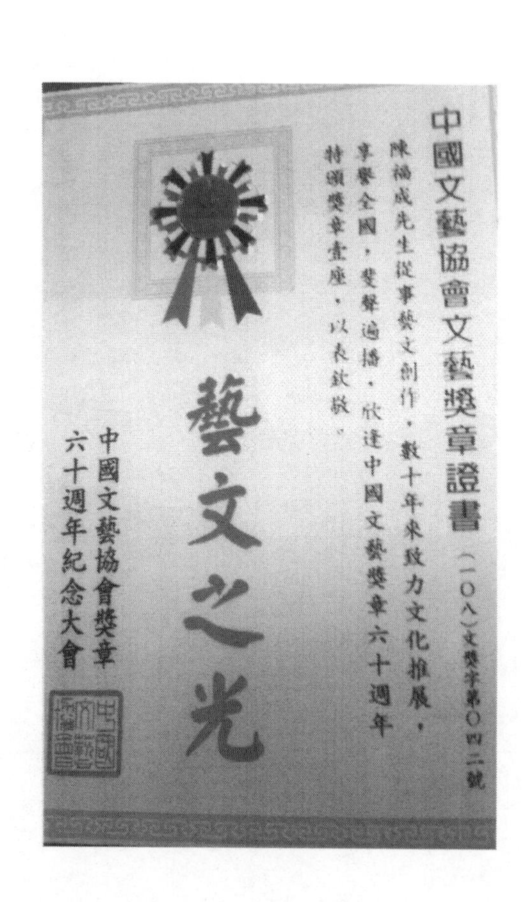

天淨沙・沈思（九）

瘦馬
搞台獨
要引爆戰爭
狼煙四起
軍人不知為何而戰
地方割據政權
聞戰而亡
戰馬冤死

天淨沙・沈思（十）

夕陽
宇宙萬物萬事有生死
中華民國在台灣
如「南明」
已然是夕陽工業
化成火鳳凰
燃燒吧！促成
統一

天淨沙・沈思（十一）

西下
燃燒的火鳳凰
昇華成灰燼泡影
碎為微塵
促成中華民族復興
實現中國夢
你的西下落沈
有功

天淨沙・沈思（十二）

斷腸人
是失智的呆丸郎
有的要當倭奴
當漢奸
當美帝
中華兒女漸稀少
島人都得精神分裂
人斷腸

天淨沙・沈思（十三）

在天涯
因島已沈淪
人類退化成類人
不適人居
能者逃向天涯
無力者望天涯
行屍走肉，而心
在天涯

夜班工作者

吃進去的美食
化成各種養分
經由體內的高速路
流向全身
當我睡覺的時候
各器官開始工作
他們的天職
專包夜班

她帶走一個時代

終於，她取得
西方世界移民簽證
她去了
也帶走一個時代
倫理禮治宣告終結
新的領導
以顛覆為創新
造反視同革命

一代一路（一）

我們在因緣海裡
踱來踱去
此岸踱到彼岸
一代踱過一代
一代一路
不知他們的未來
山路還是海路

一代一路（二）

看著他們在春風中
踱步青春
不管此岸或彼岸
管他山路或海路
新世代裡
喜歡就是路
有代無代
已是古生代神話

地下居民

那時我們都住地底
典型的地下居民
每天把太武山
頂在頭上
所有反攻大軍
都藏於九地之下
這是我們的
天命與天職

舊夢

一片落葉飄落
尚未入土前
風來進行
夢的解析
卻已來不及了
夢已成幻影
碎為微塵
難以正確解讀

革命大業（一）

許多人把一生投入
神聖的革命大業
如今思之
革命大業
乃最高領導一場
合乎春秋大義
合乎歷史現實的
瞞天過海大騙局

革命大業（二）

不得已的騙局
啊！領導
流落南蠻荒島
總不能說不回去了
河山丟了就丟了
那不是搞台獨嗎？
啊！老校長
這是你不願承擔的重

革命大業（三）

啊！老校長
我相信一九四九年
當你到這孤島
你已心中有數
回不去了
你不得已織一個大夢
反攻大陸
我能理解

革命大業（四）

啊！蔣公
從表相看，大夢
已碎為微塵
如夢幻泡影之滅
從本質結果看
中華民族已然復興
遲早兩岸必統一
也是大夢實現

陸官中正圖書館

陸軍官校
中正圖書館
黃埔校史館
歷史詮釋權都在這裡
現在變了
此岸改變了你的體質
彼岸掌控了詮釋權

新的戰場

山河全丟光了
新的戰場
就這張桌子
至於作戰地區分析
改成美食評論
三軍火力
就剩一張嘴
再也沒有轉進作戰

一朵夢遠去

熱鬧的小時候
滿城飛花
又一朵夢飄來
光陰不留情面
追夢跑遠
留下一片空白
一朵夢遠去
回不來了

我喜歡

你們各自站成
詮釋自我的風景
我喜歡
不同的風景
以心傳心
不立文字
一抹拈花微笑

西行

我若西行
一切不帶走
也不帶走一切
了無牽掛
我即非去
又非來
要帶什麼呢？

紅塵渡口

我已轉世千百回
經過這渡口
不知有幾次了
僅在這一世
這片刻
三人同行
接下來
我們千山不獨行

陌生又熟悉的臉孔

八方無謂風雨
蝟集於此
都為釣到一隻大魚
或尋找可以稱雄武林的
一把寶劍
二十年過去了
還在通往北京的路上
找一家過夜的酒店

鳥

許多鳥群集
覓食
這天，老鳥和新鳥
都到了
為一隻老鳥遠行
來歡送
鳥的溫情飄落成
夢幻泡影

夢幻泡影（一）

眼前看出
色不異空
以夢編織而成的花
五彩繽紛
泡沫的顏色
在虛無中飄落
片片空白
我的最愛

夢幻泡影（二）

坐在窗前望出
空不異色
政客貪官幹了什麼
我只見
一個個泡影破滅
七十歲的老夫
夢幻泡影
是他的最愛

夢幻泡影（三）

說我的最愛
夢，人間最美
幻，紅塵最真
泡影最善
沒聽過他貪污搞錢
也不搞族群分裂
夢幻泡影寂滅成
不朽的史詩

搞文學

煎土成大餅
煮雲充飢
望梅止渴
劃一個大餅養家人
或寫白髮三千丈
新店溪之水天上來
這就得了台灣文學
金像獎

現代詩

能得獎的現代詩
要如五百彈吉他
亂吼亂叫
評論的老師
都看不懂
無人能解
乃上乘之作品

寶山水庫撈月

詩人的浪漫程度
說你不相信
為了撈月
取做詩創作元素
自建一艘航母
航行於寶山水庫
等待月亮露臉

又得一獎

到底寫些什麼
又得一獎
左思右想
只不過罵罵政客
發發牢騷
都是夢幻泡影
或碎為微塵
不值半文的東西

中國文藝協會文藝獎章證書　（一〇三）文獎字第〇〇九號

陳福成先生從事專題寫作，成績斐然，經推薦評審通過，
榮獲本會第五十五屆文藝獎章「專題創作獎」獎章壹座。

此證

中國文藝協會
全國文藝節慶祝大會

中華民國　　五月四日

妳是一首有味詩

一抹微笑
在眼前輕舞飛揚
靠近些
有詩的意象
也有氣味
傳來愛的密碼
妳標記空間領域
與眾不同

三月詩會

從一九四九年
流浪過來
因詩而相會
光陰是老大
已抓走了一半人
剩下的一半
通緝中
不久全數逮捕

打破規律

歷史上很多人
打破規律
送了老命
聖女貞德怎麼死的
幸好現代社會
造反有理
偶爾打破常規
找尋創新之路

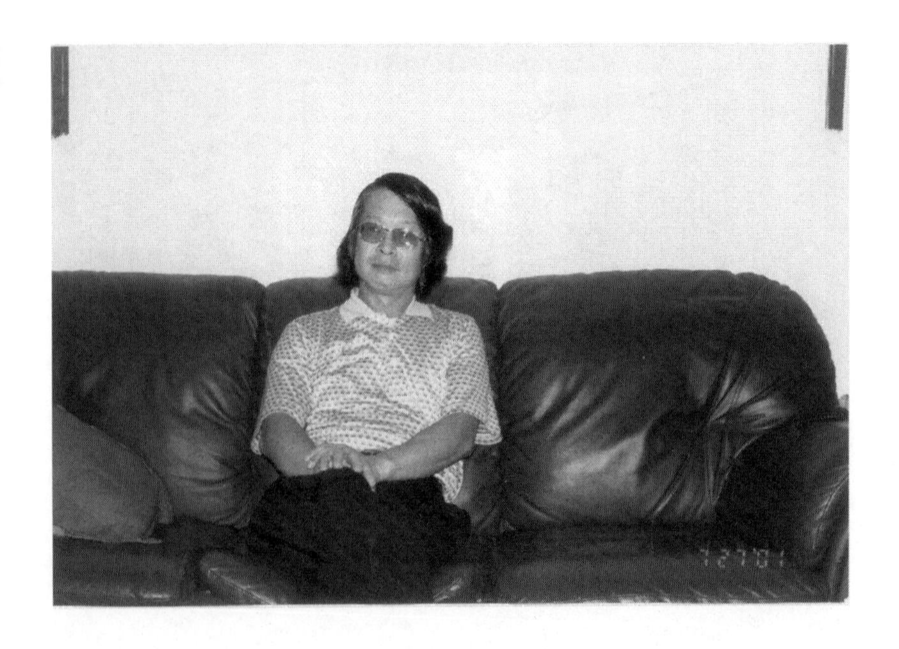

虫二酒肆

又是詩人傳下一盞燈
風無邊
月也無邊
風月都無邊
這是溫柔鄉吧
神州大地上
哪裡不是醉人溫柔鄉

得獎致詞（一）

只不過捕捉到
一陣惡風
橫掃過街頭
激起的水花
淹沒一塊地瓜
就得獎
感謝那陣惡風
歷史呼喊你的名

得獎致詞（二）

邪風細雨吹來
我走在雨中
測不準歷史
拿著大筆
揮向湛藍天空
誓言進入黑洞
挖出真相
報答所有粉絲

得獎致詞（三）

我在黑洞游走
已千百年
一陣陣暴風雨因我而生
又因我而息
絕不向邪惡投降
是中國文人的氣節
未來得獎標準設定在
筆力所生之春秋大義

同種同類（一）

牠猶抱琵琶半遮面
羞於見我
是意識形態作怪嗎
我丟掉手上的鞭
對牛彈吉他
企圖啓蒙牠
我們是同類同種
不信去問演化科學家

同種同類（二）

說我們和牛族是
同種同類
你相信嗎
我還說牛正在
講經說法
你聽到嗎
牠說要再苦修百世
才有成佛機會

同種同類（三）

一切有為法
如夢幻泡影
三千大世界具是
因緣和合之假相
吾與花草樹木
山河大地
不是同種同類
那又是什麼

一段情

這是我們在
山西芮城的一段情
可以源遠流長
如李白的一首詩
這段情
將促成中華民族復興
完成中國統一
實現中國夢

銘　記

沙教授走了
秋天氣氛
不留白
妳的身影
依然銘記在校園
某個角落
偶爾有秋風
吹起妳的心聲

曾經

那些年，我們
曾經與風有約
或不約而同
與風相聚
曾經是美美的氤氳
如霧繚繞
夢幻泡影
關於那些曾經

蟲　二

這樹下的眾生
坐姿、笑容
那麼風月無邊
回憶不遠
如昨日之約
身心自然
在這片青綠的微宇宙
散發彩霞片片

清閒

眼神靜對
一片粉紅的空靈
談情説愛
或以心傳心
述説
眼前好風光
一路通向
明天後天

想飛

張開心靈的翅膀
就是想飛
飛到那裡都好
青山綠山相伴
藍天直引方向
當地球失去引力
不飛也
自然的飛起來

悠遊（一）

突然覺得
沒了地心引力
大家心身靈
輕飄飄的
細胞都鮮活
輕風徐來
陽光也熱情
多麼真實

悠遊（二）

美食在嘴裡散步
一路歡唱
走到胃裡
散發成各種養分
供養
身體所有零件
難怪最近各部
零件都快樂健康

悠遊（三）

人生各階段
此刻最佳
可以悠遊——鬼混
自在、任性
天大地大
我最大
我們就是有銀子
悠遊，怎樣？

在這裡漫步

我們在三千大世界中的
一粒微塵
漫步
這裡走走，那裡混混
我們享受國王生活
看看這四個國王
你絕對想不到
我們將微塵變天堂

在樂音中漫步

一粒微塵或天堂
存乎一心
相隨心轉
看吧！一把吉他
掀起長江黃河浪潮
全都熱情澎湃
在樂音中漫步
比披頭四還夯

花花世界

不知道為什麼
這世界這麼多
是個花花世界
你看這些花
一朵比一朵美
朵朵芳香
把這個世界
繪成花的王國

相聚

相聚的時間
越來越少
這回相聚
我們抬頭望明月
低頭思故鄉
清醒的時候
再回眸一笑
這花花世界

我

我說天大地大
我最大
唯我獨尊
我是唯一
你不相信嗎
你可以去找
若能找出
宇宙中第二個我
我全部財產歸你

她的地球快不在

當世界漸漸遠離
她的地球就快不在了
我們把握因緣
在她取得西方簽證前
來看看沙教授
聽她述説
曾經美麗的季節

回到家

我們有好幾個家
這個家是
我們心靈最後的家
這裡沒有老婆為你
煮飯洗衣
一切都要自己來
這是生命
終極要回歸的家

寶山風光

這湖光山色多孤寂
我們一到
萬物都活了
湖光不是湖光
山色亦非山色
他們都悟道
一個個
開始講經説法

停站片刻（一）

儷人千山行
在因緣的山和海
飄泊流轉
時間在此定格
捕捉一分悠閒
兩分浪漫
正有收穫間
時間開向下一站

停站片刻（二）

又到一站
這是延續前世的約會
幾世的老友了
他們最會織夢
把歲月塗抹成
五顏六色
片刻停站後
相約航向下一世

慎獨

孔夫子提醒人
要慎獨
因為一個人時
鬼會來找你
現在我是一個人
我得小心
小心
鬼在你身邊

血緣的大橋（一）

血緣是用基因
建構的橋
堅固而恆久
我們通過這座橋
知道自己是
中國人
是炎黃子孫
是中華民族的一員

血緣的大橋（二）

通過這座基因橋
有血緣交流
我血中有你
你血中有我
我們住在不同的宇宙
有真實的蟲洞存在
這座蟲洞橋
經得起時間考驗

祝福新人

我們這些舊人
祝福新人
早生貴子
願你們的戀情
四季纏綿
直到地老天荒
你們多子多孫
足以統治地球

抱著希望

人生七十了
還能希望什麼
那些曾是希望
一一化成
夢幻泡影
碎為微塵
突然有希望跑來
我乘機抱住

相遇

註定要相遇的
跑都跑不掉
躲不開
註定這片刻
我們眼神交會於一點
時間也在此定格
留下這一世
曾經相遇的證據

因爲妳

年輕時代的夢想
已碎為微塵
因為妳
夢想又呼嘯而來
禁錮的往事
一一浮現
許多童影
在院子裡辦家家酒

理事長致詞

當台大這理事長
經常要致詞
致詞要動人
須把握二原則
內容如情書之感動
長度短於
女生的迷妳裙
才是完美的致詞

聆聽雲說

排雲在山莊
向登山客搞怪
烏雲撐起一把大傘
限制陽光來訪
一排排雲佔領山頭
登山客以無畏精神
突破排雲
黎明前完成攻頂

只剩兩人的同學會

重慶涪陵市涪光中學
初中一九四二級
只剩兩人開同學會
沈思恩同學九十七歲
蕭可容同學九十九歲
我想，我陸官
幾個老同學聚會
二十年後尚有人在否？

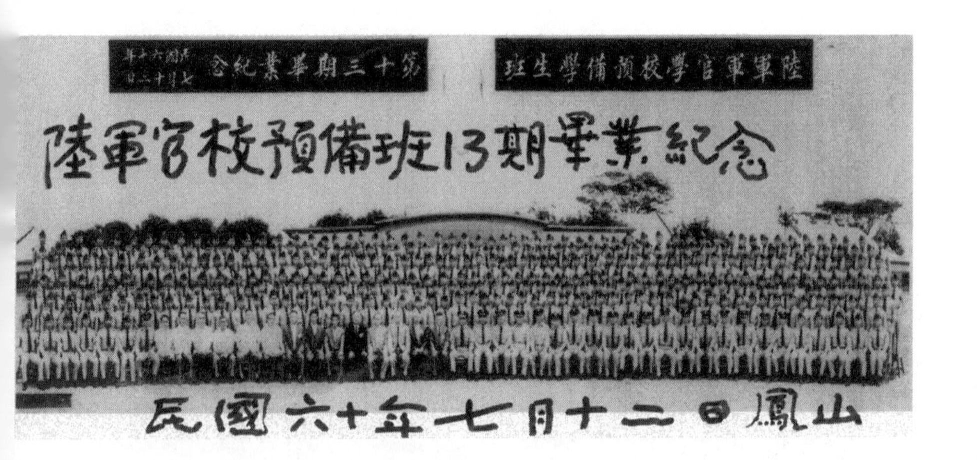

傾聽

站在這裡
傾聽空白說什麼
眼前一片白
白日夢飛出一只蝶
蝶在找花
枯葉掉下叫痛
亞熱帶校園
聽到飄雪的聲音

秋水一段情

回首那些年
大家都皈依了秋水
成了死忠信徒
詩姊，都是
因為有妳
這秋水一段情
是恒久而
美麗的神話

怎樣才叫成功

鄭成功要反清復明
蔣公要反攻大陸
都沒有成功
你們仍是民族英雄
是我們心中的神
我們的典範
但，到底
怎樣才叫成功

希望

抱著希望
就是有希望了
希望的神情
自然自在的吃奶奶
他將盡其一生
實踐他的希望
建立屬於他的
希望王國

修身齊家

台獨偽政權
將禮義廉恥丟入
化糞池
島上的人類
退化成類人
我不甘心
依然追尋
儒家的理想

離合人生

曾經多麼麻吉
光陰很會拉扯
拉拉扯扯
終究把人拉開
因緣何處去
緣起緣滅間
似有光影
不碎為微塵

前世的情人

來之前
已喝了一大碗
熱騰騰的孟婆湯
前世的浪漫
已忘得一乾二淨
誰曉得她
竟穿越時空
來找我

阿里山

都為了看地球
孵出一顆
巨大的蛋蛋
天沒亮
我們摸黑上山
不久，巨蛋
飄升，進而
騎在地球頭上

佛說

佛陀曾說
不可輕視四小
小王子、小沙彌
小朋友和小火
不知道現在抱著她
以後將如何
革命或造反
都有可能

陳福成全集

人生太意外了
革命不成
成就一套
《陳福成全集》
太偉大了
書海為患
書多得會壓死人
都是中華民族公共財

隨想曲

要怎樣自在生活
不外隨人設想
這裡走走
那裡看看
有什麼可以驚奇
咖啡的炊煙
引你回憶
已然想不起來的童年

等他長大

我們等
等他長大
地球第六次大滅絕
尚未來臨
快要發生
他來得及成家立業
多子多孫可以反制
大滅絕

總結

所有課程都講完了
我最後總結，引佛言
一切有為法
如夢幻泡影
如露亦如電
應作如是觀
眾皆大歡喜而去

畢業了

她畢業了
這是人生最初的畢業
從此，有一次次
畢業又畢業
迎接她
但是，人生最後
一次畢業，無人願意
都是被迫

影子暗了

照片上的影子
已近黃昏
比想像暗的快
在茫茫中
生疏了
僅存的是
一串夢幻泡影

挖

突然想進入記憶庫
搜索一個人
記憶庫太深
深於太平洋
努力挖
毫無踪跡
僅挖出一些
殘留的夢幻泡影

遺　珠

無意間
獲得一顆遺珠
年輕時
沒有時間瀏覽
我始終典藏
在我有生之年
緊緊抱著

領袖

為什麼大家
都想要學當領袖
因為，領袖
可將別人的理想化成
夢幻泡影
領袖沒想到
不久他也
將化為微塵

百年不見情不移

濁世間朋友如海
而能
百年不見
友誼不變
內心不疑
就屬我們了
保有此情
通往下一世

相與無相

我看到你、看到他
有我相、有人相
有眾生相、有壽者相
我們努力修行
不住於相
這太難了
未修成前
只好做「實習菩薩」

久遠的影子

無始以來
夢幻泡影的影子
未碎為微塵
微風一陣
又醒了
燦爛的笑容
布施眾生

偶然（一）

一陣風
漂來許多彩雲
我們共同歡唱
讚頌人生
將黃昏彩霞
彩繪成
一座美麗的世界

偶然（二）

在這紅塵渡口
偶然相遇
我們歡唱共樂
之後
揮揮長袖
不帶走一片雲
各自奔往一站
因緣會碰上偶然

找尋一座山

大家尋尋覓覓
都在找尋
一座山
攻頂後的山
立即被揚棄
因為你心中想要的
完美之山
已開始引誘你的腳步

三人行

因緣同行
兩人是我師焉
向他們學習
心之永寧
並誓言
往下的路
千山不獨行

全統會遇魔鬼

堂堂正正
中國全民民主統一會
光天化日下
碰到鬼
魔鬼台獨偽政權
通令解散
台島沉淪
土匪妓女妖魔橫行

六老加四

那許多
無謂的舞台
全丟入歷史的垃圾桶
只保留這一方
溫馨的小宇宙
彩繪黃昏
如朝陽燦爛

彩繪黃昏

揚棄熱兵器戰場
戰場冷卻成
一瓶瓶冰啤酒
往事如夢幻泡影
且碎為微塵
只有留下的快樂
非夢幻泡影
未碎為微塵
黃昏將會更精彩

我被浪沖到這裡

無始以來
業海之不斷沖我
前世沖到今生
我隨今生因緣之浪漂泊
漂泊半生
最終
漂到台灣大學
在此安身立命

萬法唯心

一切有為法如夢幻泡影
三千大世界
終將碎為微塵
但我以心保存
一份情
在三世流轉中
永恆不滅永不流失

陳福成著作全編總目

壹、兩岸關係

①決戰閏八月
②防衛大台灣
③解開兩岸十大弔詭
④大陸政策與兩岸關係

貳、國家安全

⑤國家安全與情治機關的弔詭
⑥國家安全與戰略關係
⑦國家安全論壇。

參、中國學四部曲

⑧中國歷代戰爭新詮
⑨中國近代黨派發展研究新詮
⑩中國政治思想新詮
⑪中國四大兵法家新詮：孫子、吳起、孫臏、孔明

肆、歷史、人類、文化、宗教、會黨

⑫神劍與屠刀
⑬中國神譜
⑭天帝教的中華文化意涵
⑮奴婢妾匪到革命家之路：復興廣播電台謝雪紅訪講錄
⑯洪門、青幫與哥老會研究

伍、詩〈現代詩、傳統詩〉、文學

⑰幻夢花開一江山
⑱赤縣行腳・神州心旅
⑲「外公」與「外婆」的詩
⑳尋找一座山
㉑春秋記實
㉒性情世界
㉓春秋詩選
㉔八方風雲性情世界
㉕古晟的誕生
㉖把腳印典藏在雲端
㉗從魯迅文學醫人魂救國魂說起
㉘六十後詩雜記詩集

陸、現代詩（詩人、詩社）研究

㉙三月詩會研究
㉚我們的春秋大業：三月詩會二十年別集
㉛中國當代平民詩人王學忠
㉜讀詩稗記
㉝嚴謹與浪漫之間
㉞一信詩學研究：解剖一隻九頭詩鵠
㉟囚徒
㊱胡爾泰現代詩臆說
㊲王學忠籲天詩錄

柒、春秋典型人物研究、遊記

㊳山西芮城劉焦智「鳳梅人」報研究
㊴在「鳳梅人」小橋上
㊵我所知道的孫大公

㊶為中華民族的生存發展進百書疏

㊷金秋六人行

㊸漸凍勇士陳宏

捌、小說、翻譯小說

㊹迷情・奇謀・輪迴、

㊺愛倫坡恐怖推理小說

玖、散文、論文、雜記、詩遊記、人生小品

㊻一個軍校生的台大閒情

㊼古道・秋風・瘦筆

㊽頓悟學習

㊾春秋正義

㊿公主與王子的夢幻、

51 迴游的鮭魚

52 男人和女人的情話真話

53 台灣邊陲之美

54 最自在的彩霞

55 梁又平事件後

拾、回憶錄體

56 五十不惑

57 我的革命檔案

58 台大教官興衰錄

59 迷航記、

60 最後一代書寫的身影

61 我這輩子幹了什麼好事

62 那些年我們是這樣寫情書的

63 那些年我們是這樣談戀愛的

64 台灣大學退休人員聯誼會第九屆理事長記實

拾壹、兵學、戰爭

65 孫子實戰經驗研究

66 第四波戰爭開山鼻祖賓拉登

拾貳、政治研究

67 政治學方法論概說

68 西洋政治思想史概述

69 中國全民民主統一會北京行

70 尋找理想國：中國式民主政治研究要綱

拾參、中國命運、喚醒國魂

71 大浩劫後：日本311天譴說
日本問題的終極處理

72 台大逸仙學會

拾肆、地方誌、地區研究

73 台北公館台大地區考古・導覽

74 台中開發史

75 台北的前世今生

76 台北公館地區開發史

拾伍、其他

77 英文單字研究

78 與君賞玩天地寬（文友評論）

79 非常傳銷學

80 新領導與管理實務

2015 年 9 月後新著

編號	書　　　　名	出版社	出版時間	定價	字數(萬)	內容性質
81	一隻菜鳥的學佛初認識	文史哲	2015.09	460	12	學佛心得
82	海青青的天空	文史哲	2015.09	250	6	現代詩評
83	為播詩種與莊雲惠詩作初探	文史哲	2015.11	280	5	童詩、現代詩評
84	世界洪門歷史文化協會論壇	文史哲	2016.01	280	6	洪門活動紀錄
85	三搞統一：解剖共產黨、國民黨、民進黨怎樣搞統一	文史哲	2016.03	420	13	政治、統一
86	緣來艱辛非尋常－賞讀范揚松仿古體詩稿	文史哲	2016.04	400	9	詩、文學
87	大兵法家范蠡研究－商聖財神陶朱公傳奇	文史哲	2016.06	280	8	范蠡研究
88	典藏斷滅的文明：最後一代書寫身影的告別紀念	文史哲	2016.08	450	8	各種手稿
89	葉莎現代詩研究欣賞：靈山一朵花的美感	文史哲	2016.08	220	6	現代詩評
90	臺灣大學退休人員聯誼會第十屆理事長實記暨2015～2016 重要事件簿	文史哲	2016.04	400	8	日記
91	我與當代中國大學圖書館的因緣	文史哲	2017.04	300	5	紀念狀
92	廣西參訪遊記（編著）	文史哲	2016.10	300	6	詩、遊記
93	中國鄉土詩人金土作品研究	文史哲	2017.12	420	11	文學研究
94	暇豫翻翻《揚子江》詩刊：蟾蜍山麓讀書瑣記	文史哲	2018.02	320	7	文學研究
95	我讀上海《海上詩刊》：中國歷史園林豫園詩話瑣記	文史哲	2018.03	320	6	文學研究
96	天帝教第二人間使命：上帝加持中國統一之努力	文史哲	2018.03	460	13	宗教
97	范蠡致富研究與學習：商聖財神之實務與操作	文史哲	2018.06	280	8	文學研究
98	光陰簡史：我的影像回憶錄現代詩集	文史哲	2018.07	360	6	詩、文學
99	光陰考古學：失落圖像考古現代詩集	文史哲	2018.08	460	7	詩、文學
100	鄭雅文現代詩之佛法衍繹	文史哲	2018.08	240	6	文學研究
101	林錫嘉現代詩賞析	文史哲	2018.08	420	10	文學研究
102	現代田園詩人許其正作品研析	文史哲	2018.08	520	12	文學研究
103	莫渝現代詩賞析	文史哲	2018.08	320	7	文學研究
104	陳寧貴現代詩研究	文史哲	2018.08	380	9	文學研究
105	曾美霞現代詩研析	文史哲	2018.08	360	7	文學研究
106	劉正偉現代詩賞析	文史哲	2018.08	400	9	文學研究
107	陳福成著作述評：他的寫作人生	文史哲	2018.08	420	9	文學研究
108	舉起文化使命的火把：彭正雄出版及交流一甲子	文史哲	2018.08	480	9	文學研究
109	我讀北京《黃埔》雜誌的筆記	文史哲	2018.10	400	9	文學研究
110	北京天津廊坊參訪紀實	文史哲	2019.12	420	8	遊記
111	觀自在綠蒂詩話：無住生詩的漂泊詩人	文史哲	2019.12	420	14	文學研究
112	中國詩歌墾拓者海青青：《牡丹園》和《中原歌壇》	文史哲	2020.06	580	6	詩、文學

113	走過這一世的證據：影像回顧現代詩集	文史哲	2020.06	580	6	詩、文學
114	這一是我們同路的證據：影像回顧現代詩題集	文史哲	2020.06	540	6	詩、文學
115	感動世界：感動三界故事詩集	文史哲	2020.06	360	4	詩、文學
116	印加最後的獨白：蟾蜍山萬盛草齋詩稿	文史哲	2020.06	400	5	詩、文學
117	台大遺境：失落圖像現代詩題集	文史哲	2020.09	580	6	詩、文學
118	中國鄉土詩人金土作品研究反響選集	文史哲	2020.10	360	4	詩、文學
119	夢幻泡影：經剛人生現代詩經	文史哲	2020.11	580	6	詩、文學

陳福成國防通識課程著編及其他作品

（各級學校教科書及其他）

編號	書　　　　名	出版社	教育部審定
1	國家安全概論（大學院校用）	幼　獅	民國 86 年
2	國家安全概述（高中職、專科用）	幼　獅	民國 86 年
3	國家安全概論（台灣大學專用書）	台　大	（臺大不送審）
4	軍事研究（大專院校用）	全　華	民國 95 年
5	國防通識（第一冊、高中學生用）	龍　騰	民國 94 年課程要綱
6	國防通識（第二冊、高中學生用）	龍　騰	同
7	國防通識（第三冊、高中學生用）	龍　騰	同
8	國防通識（第四冊、高中學生用）	龍　騰	同
9	國防通識（第一冊、教師專用）	龍　騰	同
10	國防通識（第二冊、教師專用）	龍　騰	同
11	國防通識（第三冊、教師專用）	龍　騰	同
12	國防通識（第四冊、教師專用）	龍　騰	同
13	臺灣大學退休人員聯誼會會務通訊	文史哲	
14	把腳印典藏在雲端：三月詩會詩人手稿詩	文史哲	
15	留住末代書寫的身影：三月詩會詩人往來書簡殘存集	文史哲	
16	三世因緣：書畫芳香幾世情	文史哲	

註：以上除編號 4，餘均非賣品，編號 4 至 12 均合著。　　　編號 13　定價 1000 元。